Y RHUBAN GLAS

GWOBR GOFFA DAVID ELLIS
1943-2000

R. ALUN EVANS

LLYS YR EISTEDDFOD GENEDLAETHOL

Argraffiad cyntaf—2000

ISBN 1 85902 894 2

ⓗ Llys yr Eisteddfod Genedlaethol.

Argraffwyd yng Nghymru gan
Wasg Gomer, Llandysul, Ceredigion

Cyflwynir y gyfrol hon
i holl hyfforddwyr a chyfeilyddion
eisteddfodau Cymru.

CYNNWYS

SWILDOD yntau esgeulustod? Pam fod cyn lleied wedi ei groniclo o hanes gwahanol agweddau o'r Eisteddfod Genedlaethol drwy'r ugeinfed ganrif? Bwriad y gyfrol hon yw dweud am gefndir un gystadleuaeth ac am dros hanner cant o gystadleuwyr a lwyddodd i gyrraedd y brig.

Hanes enillwyr sydd yma, gan obeithio y bydd hynny yn dwyn atgofion i eraill, a bod yn ysbrydoliaeth i'r to presennol o gystadleuwyr. Wrth edrych ar eisteddfodau lleol a thaleithiol y mae'n destun pryder bod cystadleuwyr yno'n prinhau. O gofio'r cyfleoedd gwahanol sydd ar gael bellach i ddarpar gantorion proffesiynol i ddatblygu eu doniau, mae'r Eisteddfod Genedlaethol yn llwyddo'n rhyfeddol i ddenu cystadleuwyr o hyd. Y mae costau uchel i'w talu i sicrhau hynny ond, trwy'r cyfan, mae ennill Rhuban Glas yr Eisteddfod yn dal i agor drysau.

£200 [y ffigwr cyfatebol yn 2000 fyddai £5,380]; dyna'r cyfalaf a fuddsoddwyd ar 25 Mawrth, 1943, i sefydlu "ymddiriedaeth" Gwobr Goffa David Ellis. Bu farw David Ellis ym Mai 1941, a chodwyd y gronfa goffa iddo gan bwyllgor yn ei ardal enedigol dan gadeiryddiaeth Maurice Evans, cyfreithiwr o Gefn-mawr, ger Wrecsam. Amodau'r gronfa yn wreiddiol oedd "I'r enillwyr yn y gystadleuaeth rhwng buddugwyr y prif unawdau yn yr Eisteddfod, neu at wobr arall yn Adran Cerdd yr Eisteddfod". Ni chafodd ei chynnig ar gyfer yr ail gymal o gwbl. Fe'i cynigiwyd gyntaf yn Eisteddfod Genedlaethol Bangor yn Awst 1943.

DAVID ELLIS (1873-1941)

Tenor oedd David Ellis, un o denoriaid mawr y genedl yn ei ddydd. 'Rwy'n ddyledus i Huw Williams ac i Gareth Williams am eu cyfeiriadau ato yn *Eisteddfota 2, gol. Gwynn ap Gwilym* ac yn *Cerddoriaeth Cymru Cyfrol IX, Rhif 8, gol. A. J. Heward Rees*. Cafwyd gwybodaeth werthfawr hefyd o *The Cefn Chronicle*, o *Seren Cymru*, o *Y Cymro* ac o *Seren Gomer*.

Yn frodor o Gefn-mawr, lle'i ganed yn 1873, yr oedd David Ellis yn fab i groser ac yn brentis teiliwr. Yn y cyfnod hwn, ef oedd arweinydd Côr Plant Acrefair a chodwr canu Bethania, capel y Bedyddwyr Acrefair, a changen o eglwys Seion, Cefn-mawr. Am dair blynedd bu'n aelod o'r

Welsh Costume Choir dan arweinyddiaeth
Abon. Dau gerddor arall a ddylanwadodd
yn drwm arno yn y cyfnod cynnar hwnnw
o'i yrfa oedd Wilfred Jones, Wrecsam a
Harry Evans, Dowlais. Harry Evans a
awgrymodd ei fod yn mynd i Lundain i
astudio canu. "Derbyniodd yntau'r awgrym
hwnnw," meddai Huw Williams, "a bu'n
astudio cerddoriaeth yn y Coleg Cerdd
Brenhinol, lle cafodd lawer o gefnogaeth
gan yr Athro Dan Price".

Cyn mynd i Lundain enillodd David Ellis ar yr unawd tenor
deirgwaith yn yr Eisteddfod Genedlaethol: yn Lerpwl 1900, Y Rhyl
1904 ac Abertawe 1907. Enillodd yn Lerpwl, a chynifer â 88 yn
cystadlu, gyda'r gân 'Jerusalem' (Pencerdd Gwynedd). Yn Y Rhyl
dewiswyd 'Through the Forest' (Weber) a 'Warrior's Bride' (Joseff
Parry) ac yn Abertawe canodd 'Cujus Animam' (Rossini) a 'Cân y bardd
wrth farw' (D. Vaughan Thomas). Huw Williams eto sy'n nodi "Mae'n
amlwg bod David Ellis yn un o'r ychydig gantorion o ogledd Cymru a
fentrodd gystadlu ym Mhrifwyl 1907, oherwydd cwynai David Jenkins
ar dudalennau *Y Cerddor* ym mis Hydref 1907 mai ychydig iawn o
gefnogaeth a roddwyd i'r Eisteddfod honno gan wŷr y gogledd, 'a
theimlid gwagder mawr o'r herwydd' ".

Yr oedd yn uchel ei barch gan gerddorion amlwg y cyfnod. Ar ei
gyfer ef, meddai Gareth Williams "yr ysgrifennodd Harry Evans yr
unawd tenor yn ei gantawd *Dafydd ap Gwilym* a berfformiwyd gyntaf,
gyda David Ellis fel unawdydd, yn Eisteddfod Genedlaethol Llangollen
1908". Fe'i gwahoddwyd un-ar-bymtheg o weithiau i ganu yng
nghyngherddau'r Brifwyl, y tro olaf yn Wrecsam yn 1933. Ef oedd
y cyntaf i ddatgan *Saith o Ganeuon* David Vaughan Thomas, mewn
cyngerdd yn Abertawe, yn 1922 ac eto yn un o gyngherddau'r
Eisteddfod Genedlaethol yn y dref honno yn 1926. Yn ôl ei fywgraffiad
o'r cyfansoddwr dywed Emrys Cleaver "Doedd neb yn debyg i David
Ellis yng ngolwg David Vaughan Thomas am lais ac ynganiad. Rhoddai
bwyslais mawr ar ynganiad clir, cywir".

Wrth nodi arferiad David Ellis o gymryd rhan mewn gornestau canu nad oedd a wnelo â'r Eisteddfod y mae Huw Williams yn sôn am gystadleuaeth gyfyngedig i denoriaid yn City Road, Llundain ym mis Mai 1903 pan ganodd David Ellis 'Yr Arglwydd yw fy Mugail' (David Jenkins) gan lwyddo i drechu unarddeg o gantorion blaenllaw "ac ennill oriawr aur gwerth wyth gini. Y tro hwnnw fe wnaeth gymaint o argraff ar y sawl a'i clywodd fel y galwyd arno i ganu 'Hen wlad fy nhadau' ar derfyn y gystadleuaeth!".

Yn ystod y Rhyfel Mawr canodd lawer mewn cyngherddau gartref ac i'r milwyr yn Ffrainc, mewn ysbytai a chyngherddau'r Groes Goch. Ymddangosai'n gyson ar lwyfan y Brifwyl, yn yr Albert Hall a'r Queen's Hall yn Llundain ac yng nghyngherddau'r Enoch Ballad Orchestra. Yn anffodus nid oes gofnod o'i lais ar gael ar record. Yn ôl yr hanes, meddai Huw Williams "fe lwyddodd un o'i berthnasau i'w berswadio i beidio â recordio, ac yr ydym ninnau heddiw ar ein colled oherwydd hynny".

Oherwydd peryglon byw yn Chiswick ar ddechrau'r Ail Ryfel Byd dychwelodd ef a'i wraig, Sarah, i Gymru yn gynnar yn y pedwardegau i Fodhyfryd, Minera, cartref Mrs Nina Lloyd a roddodd loches iddynt. Yno y bu farw David Ellis yn 68 oed ar 29 Mai, 1941, a'i gladdu ym mynwent Trefynant, Acrefair ddydd Sadwrn 31 Mai 1941.

Ar y garreg fedd gwelir 'Er cof annwyl am David Ellis 1873-1941. Dafydd y Pêr Ganiedydd. Bydd ei goffadwriaeth yn fendigedig'. Claddwyd Sarah, 'ei wir gymar', yn yr un bedd pan fu hi farw yn 1963.

Yng nghapel Seion, Cefn-mawr, ar ddiwrnod angladd David Ellis, fe gyfeiriodd y Parchedig Ddoctor E. K. Jones at ei yrfa nodedig fel canwr ac at ei hynawsedd fel person. C. P. Williams, yr organydd yn y gwasanaeth yn Seion, a dalodd deyrnged iddo yn *Y Cymro* a'r *Cefn Chronicle*: "Diffuantrwydd oedd nod ei ganu a'i waith yn hyfforddi eraill. Yr oedd o natur swil a thawedog ond gyda'r rhai a'i hadwaenai'n dda ffurfid cyfeillgarwch a arhosai'n ddi-sigl a pharhaol".

Yn *Seren Cymru* 20 Mehefin, 1941, dywedir amdano: "Llawer gwaith y canodd 'Be Thou Faithful Unto Death'. Bu David Ellis yn ffyddlon. Bu'n ddirwestwr ar hyd ei oes. Cadwodd ei wisg yn lân. Glynodd wrth ei grefydd a bu'n deyrngarol i'w Waredwr hyd y diwedd".

"Gŵr oedd David Ellis y bu rhaid iddo drefnu ei gwrs ei hun," meddai Emlyn Davies yn *Seren Gomer*, Haf / Hydref 1954, "a hynny'n wyneb llawer o anawsterau, ond trwy ddycnwch a dyfal barhad [sic] daeth yn un o'n prif gantorion. Nodweddion amlycaf ei ddatganiadau oedd meddylgarwch a dehongliadau chwaethus a chelfydd".

Y gŵr meddylgar hwn a gofir bob blwyddyn ar Sadwrn ola'r Eisteddfod Genedlaethol pan ddyfernir y Rhuban Glas i rai dros 25 oed.

1943-2000

Bu cystadleuaeth arbennig i'r unawdwyr buddugol cyn 1943, er na ddigwyddodd hynny yn 1940, 1941 na 1942 oherwydd y rhyfel byd. Yn 1939 yn Ninbych enillydd y Fedal Aur i'r unawdwyr buddugol oedd Miss Violet Jones, Nant Clwyd. Fe'i cofir hithau'n flynyddol yn y Brifwyl gan fod Ysgoloriaeth Towyn Roberts yn cael ei ddyfarnu "er cof am ei briod Violet Jones, Nantclwyd".

Stori arall yw'r gystadleuaeth honno; stori i'w hadrodd rywbryd eto efallai. Beth am Wobr Goffa David Ellis o'r dechrau?

Mewn neuadd [Clwb Nos yr Octagon bellach] enwog yn nyddiau cynnar darlledu o Fangor (rhaglenni fel *ITMA* gyda'r prif gomedïwr Tommy Handley ac *Irish Half Hour* a *Happidrome*) sef Chwaraedy'r Sir, fel y dywed y Rhaglen Swyddogol, y cynhaliwyd Eisteddfod Genedlaethol 1943. Yn wreiddiol trefnwyd yr eisteddfod hon ar gyfer Llangefni, Ynys Môn, ond oherwydd cyfnod y rhyfel byd, a bod adnoddau darlledu'r Wŷl yn fwy hwylus ar lannau'r Fenai, fe'i symudwyd ar orchymyn un o adrannau'r Llywodraeth i Fangor. Meddai Ernest Roberts yn ei adroddiad i Lys yr Eisteddfod Genedlaethol am yr eisteddfod honno "prin yr aeth i unman mor annisgwyl ag y daeth i Fangor yn 1943".

Pedwar unawdydd ddaeth i gystadlu am Wobr Goffa David Ellis am y tro cyntaf un. Deuai'r pedwar o'r de-orllewin: Megan Thomas, Llwynhendy (Soprano), Madame G. Downing Jones, Llanelli (Contralto), Trevor Jones, Rhydaman (Tenor) a Tudor Smith, Llanelli (Bas/Bariton). Yr enillydd oedd Megan Thomas yn canu 'Nosgan Serch' (Brahms) ac 'Yr Awr Aur' (J. Morgan Lloyd). Yr un a gyflwynodd y Tlws iddi oedd gweddw David Ellis, Sarah Ellis.

Trwy gyd-ddigwyddiad, daeth y teitl "y Rhuban Glas" i fod am y tro cyntaf yn rhestr testunau Eisteddfod Genedlaethol Bangor yn 1971. Ond yn eisteddfodau'r Gogledd yn unig y cofnodid y gystadleuaeth felly drwy'r saithdegau hyd at Eisteddfod Genedlaethol Caerdydd 1978. O hynny ymlaen yr un yw'r cofnod yn rhaglenni'r Gogledd a'r De fel ei gilydd.

Erbyn y flwyddyn 2000 fe gofnodir pump o wahanol Rubanau Glas yn y Brifwyl yn yr Adran Cerddoriaeth yn unig – Gwobr Goffa David Ellis, Gwobr Goffa Osborne Roberts, Rhuban Glas Offerynnol 12-15 oed, Rhuban Glas Offerynnol 15-19 oed a'r Rhuban Glas Offerynnol dros 19 oed. I'r ddwy olaf a enwir y mae ysgoloriaethau ynghlwm sy'n werth £2,000 gan Sefydliad Cenedlaethol Cymru – America i'r naill, a £3,000 o Gronfa Peggy a Maldwyn Hughes i'r llall.

Cyfyngir y gyfrol hon i sôn am gefndir, ac yn fwy am enillwyr, Gwobr Goffa David Ellis. Ni chafodd y wobr ei hatal o gwbl hyd yma. Rhannwyd y wobr ariannol rhwng dwy gantores yn Eisteddfod Genedlaethol Rhosllannerchrugog 1945. Y mae pump unawdydd wedi ennill Gwobr Goffa David Ellis ddwywaith: Richard Rees 1952/1955, Peggy Williams 1960/1964, Maldwyn Parry 1962/1984, R. T. Roberts 1965/1969 a William Jones 1967/1971. Pump hefyd, ar ddechrau'r unfed-ganrif-ar-hugain, sydd wedi ennill y Rhuban Glas dan 25 [Gwobr Goffa Osborne Roberts] yn ogystal â'r Rhuban Glas dros 25 [Gwobr Goffa David Ellis] sef Elwyn Jones, Angela Rogers Davies, Ann Davies, M. Meinir Jones-Williams ac Iona Stephen Williams.

Merched ddaeth i'r brig yn y blynyddoedd 1943-1946 – pump ohonyn nhw! Megan Thomas, Llwynhendy [Mrs Megan Holliday, Castle Bromwich bellach] oedd y ferch gyntaf un. Gwelwyd Megan Thomas ddiwethaf ar lwyfan y Brifwyl yn Llandeilo 1996, pan gyflwynwyd hi i'r gynulleidfa ar y nos Sadwrn gan yr arweinydd llwyfan fel "enillydd cyntaf y Rhuban Glas dros 25 oed". Y dyn cyntaf i ennill Gwobr Goffa David Ellis, a hynny ym Mae Colwyn 1947, oedd Ivor Lewis, yn enedigol o Sir Drefaldwyn. Y mae Mr Lewis yn byw heddiw (Mawrth 2000) yn Llandrillo yn Rhos, o fewn tafliad carreg i'r maes lle bu'n fuddugol dros hanner canrif yn ôl.

Yr un yw'r amod arbennig eleni yn Llanelli ag yn y blynyddoedd diwethaf yn yr Adran Cerddoriaeth, dan y pennawd Gwobr Goffa David Ellis, sef 'Ni chaiff neb gynnig ar fwy nag un o'r cystadleuthau rhifau 38-43 [y chwe phrif unawd] ac ni all neb o dan 25 oed gynnig arnynt'.

Ar y tudalennau sy'n dilyn fe gewch fraslun o yrfa yr hanner-cant-a-thri o enillwyr y Rhuban Glas o ddechrau'r pedwardegau i ddiwedd y nawdegau. 'Rwy'n ddyledus iawn i bob un o'r cantorion sy'n fyw am gyfrannu eu hatgofion a'u hanes, a hefyd i deuluoedd neu gysylltiadau y deuddeg enillydd sydd wedi'n gadael am ddod o hyd i wybodaeth amdanynt. Dylid nodi hefyd fy nyled i lu rhy niferus i'w henwi am eu help yn dod o hyd i rai o'r enillwyr. Byddai'n ddifyr adrodd wrthych am yr ymdrech, er enghraifft, i ddod o hyd i chwaer Tabitha Hughes yn Llwydlo, ac i drydedd gwraig Eric Mortimore yn Coventry, heb sôn am y chwilio dyfal am Enid Wynn Thomas yn Studley, Swydd Warwick, a chael gafael arni yn y diwedd yn Seland Newydd.

O ran galwedigaethau'r enillwyr, dyma'r cyfrif yn 2000: Athrawon/Darlithwyr (12), Cantorion Proffesiynol (9), Ffermwyr (9), Gwragedd Tŷ (6), Peirianwyr (3), Dynion garej (2), Gweithwyr Ffatri (2), ac o'r gweddill – mae 'na blismon, dyn treth incwm, nyrs, crefftwr, siopwraig, postmon, gyrrwr lori, milfeddyg, cyfreithiwr, ac ymgynghorwr ariannol.

Ac o ran y siroedd [h.y. yr hen dair-sir-ar-ddeg] dyma ble ganed yr enillwyr y gwelir crynodeb o'i hanes yn y gyfrol hon:

Caerfyrddin (11), Dinbych (8), Meirionnydd (6), Caernarfon (5), Ceredigion (5), Morgannwg (5), Maldwyn (4), Y Fflint (3), Môn (2) a phedwar o Loegr (Llundain, Rugby a Lerpwl).

Hyd yma (1943-1999) rhannwyd rhwng y lleisiau fel hyn:

| Soprano (10) | Mezzo (3) | Contralto (10) |
| Tenor (9) | Bariton (12) | Bas (14) |

Cefais bleser o ymweld â llawer o'r enillwyr a'u teuluoedd yn eu cartrefi. Gobeithio y cewch chithau bleser o ddarllen y llyfryn.

1943

BANGOR

MEGAN THOMAS, LLWYNHENDY (SOPRANO)

MEGAN Holliday yw'r enw ar ôl priodi. Yn 89 oed ar 19 Ebrill, 2000 mae hi'n byw yn Castle Bromwch, Birmingham. Fe'i ganed yn 1911 yn Llwynhendy, yn ferch i löwr ac i fam oedd yn dysgu deillion i wau sanau.

"'Roeddynt yn rhieni da, ac fe gawsom ein hyfforddi'n gynnar i rodio'r llwybr cul. Dechreuais ganu yn gynnar iawn. Chwech oed oeddwn i yn canu yn Neuadd y Farchnad, Llanelli i helpu i gasglu arian at y 'Soup Kitchens'. Yr oeddwn yn cystadlu'n ifanc iawn ac yn ennill llawer o wobrau. Mewn eisteddfod fawr yn Llanelli yn 1926, gyda Syr Thomas Beecham yn beirniadu, fe enillais Fedal Aur. A hyd y dydd hwn rwy'n falch o'r fedal honno.

Am y Rhuban Glas yn 1943, wel, feddyliais i erioed yr enillwn i. 'Roeddwn i wedi bod ar y llwyfan dair gwaith cyn hyn, felly llawenydd mawr oedd ennill y tro yma a Mrs David Ellis ei hun yn fy ngwobrwyo. Cenais 'Nosgan Serch' (Brahms) ac 'Yr Awr Aur' (J. Morgan Lloyd). Dyna

Megan Holliday ar ddydd ei phenblwydd eleni.

1

ddiwedd ar gystadlu; fe newidiodd y digwyddiad yna ym Mangor fy mywyd.

Amser rhyfel oedd hi, ac ymhen ryw fis ar ôl ennill y Rhuban Glas daeth llythyr o Abertawe yn fy ngwahodd am 'audition' i ymuno ag ENSA (Entertainment National Service Association). Fe lwyddais, ac wedi llawer o baratoi a dysgu llawer o ddarnau newydd mynd wedyn i Drury Lane i ymuno â'r Côr Cymraeg oedd yn cael ei ffurfio gan Syr Basil Dean. Wedi iddo fy nghlywed yn canu cefais fy newis fel unawdydd. Fe'n cludwyd i Southampton a hwylio ar y llong 'Georgie' i'r Eidal, hwylio mewn confoi wrth gwrs.

Yr oeddem bellach yn gysylltiedig â'r Eighth Army gan ganu ynghanol peryglon a dinistr am chwe mis. Yna'n ôl i Drury Lane. Rhagor o ymarferiadau, a phedwar o gyngherddau mawr yn y theatr cyn hedfan o Poole mewn awyren Sunderland i Sicily, yr Aifft, Bahrein, Irac a Karachi. Wedi i'r awyren lanio ar y dŵr, cawsom ein croesawu yn India gan yr actor enwog Jack Hawkins. Yr oedd y gwres yn llethol. Fe fyddem yn canu i'r milwyr yn y gwersylloedd, a chanu hefyd mewn ysbytai i'r rhai oedd wedi eu hanafu.

Teithio ymlaen mewn 'jeep' neu lori i Poona, lle daeth cyfle i wrando ar Mahatma Ghandi, ac i lawr i'r de – Hyderabad, Madras, Calcutta. O'dd yno i Assam a hwylio wedyn o Calcutta i Singapore ar y llong 'Aronda'. Ar fwrdd y llong cwrddais â George Holliday, fy mhriod maes o law.

Buom am dri mis yn Singapore. Cyngherddau rhyfedd oedd y rhai hynny. Canu a wnaem ni i'r bechgyn oedd wedi dychwelyd o ddwylo'r Siapaneaid. Er eu bod mewn cyflwr truenus yn gorfforol caem ni groeso eithriadol gynnes ganddynt. Yna daeth cais i ni i berfformio'r 'Meseia', a chan nad oeddem yn ddigon o rif i ganu'r 'Meseia' drwyddi byddem yn gwahodd atom unrhyw rai oedd yn gwybod y gwaith. Dyna i chi gôr, a dyna i chi ganu! Pob un yn canu yn ei iaith ei hun a'r 'Amen' yr un fath ymhob iaith. Byddai cerddorfa fechan yn teithio gyda ni i gyfeilio i'r côr. Wedi blwyddyn galed yn y Dwyrain Pell 'roedd dagrau yn ein llygaid wrth droi am adref ar fwrdd y llong 'Orontes Castle'. Wedi cyrraedd yn ôl i Gymru deuai galwadau cyson i ganu mewn cyngherddau – 'Elgar's Kingdom', 'Meseia', 'Elijah', 'Emyn o Fawl', 'Y Greadigaeth' ac yn y blaen. Ond fy ffefryn i oedd 'Requiem' (Verdi). Ychydig iawn a feddyliais i y diwrnod hwnnw ym Mangor yn 1943 y byddai ennill £5 [y ffigwr cyfatebol yn 2000 yw £134.50] Gwobr Goffa David Ellis, yn arwain at deithio'r byd, ac at gyfarfod â phobl mor enwog â Ghandi".

1944

LLANDYBÏE

Nancy Bateman, Caerdydd (Soprano)

GANED Nancy Bateman ym Mlaengarw, Morgannwg, yn 1912. Cantores broffesiynol oedd ei mam, Jennie Ellis, a gymerodd ran gydag Ivor Novello yn ei sioeau poblogaidd 'Glamorous Nights' a'r 'Dancing Years'. Yn ôl y ferch ni roddodd ei mam unrhyw bwysau arni hi i ganu. "Yn wir", meddai, "doeddwn i ddim eisiau bod yn gantores". Ei chof cyntaf o ganu'n gyhoeddus oedd mewn cantatas yn y capel yn Llangeinor. Fe fyddai hi, ar y pryd, oddeutu deuddeg oed.

Y dylanwad pennaf arni i feddwl am yrfa fel cantores oedd Dr Morgan Lloyd. "Yr oeddwn i'n cael gwersi piano, ac fe euthum i Ysgol Haf Gerddorol yn y Barri. Ar ddiwedd y cwrs 'roedd disgwyl i ni roi eitem. Fe ofynnodd Dr Lloyd beth oeddwn i am ei chwarae ar y piano. Ond doeddwn i ddim yn teimlo mod i'n ddigon da i wneud hynny. Felly, fe gynigiais ganu. Caneuon y clywswn fy mam yn eu canu oedden nhw. Ac fe gefais hwyl arni. Ar ôl y cyngerdd hwnnw fe aeth Dr Lloyd at fy mam gan ei sicrhau fod gennyf innau lais y dylid ei feithrin".

Yr oedd ganddi allu academaidd yn ogystal. Cyn pen dim 'roedd hi'n fyfyrwraig yn yr Adran Gerdd yng Ngholeg Prifysgol Cymru, Caerdydd. Ymhlith y rhai a'i dysgai yno yr oedd Dr David Evans. Enillodd ysgoloriaeth Rosing i fynd am wersi canu yn Llundain. Gwraig o America a gynigiodd yr ysgoloriaeth honno, ond oherwydd hiraeth am gartref, a phrinder arian i'w chynnal, nid arhosodd yno fwy na deunaw mis.

Bu'n cystadlu yn erbyn ei mam yn Eisteddfod Genedlaethol Castell Nedd 1934, a'r fam yn ennill. Ddeng mlynedd yn ddiweddarach, yn 1944, Nancy Bateman a ddaeth i'r brig gan ennill y Rhuban Glas. Ei chaneuon oedd 'Dirgelwch' gan Caradog Roberts (rhif 6 allan o Englynion ar Gân), a 'Llais yr Adar' (Vaughan Thomas). A dyna'r gân yr enillodd ei mam arni ar yr unawd Soprano flynyddoedd ynghynt. Meddai John Aelod Jones yn ei golofn 'Rhyngom ni â'n gilydd' yn *Y Cymro* ar Awst 18, 1944, "Gŵyl o obaith, ar ddyddiau o obaith, mewn blwyddyn o obaith, ac mewn gwlad o obeithion – dyna Eisteddfod Llandybïe 1944".

Eisoes yr oedd yna arwyddion fod yr Ail Ryfel byd yn dirwyn i ben. Yn 1942 bu Nancy Bateman yn canu gyda chriw E. N. S. A. yn Ffrainc i ddiddanu'r milwyr. "Criw diddig, hwyliog oedd y cantorion eraill, pobl fel Haydn Adams, Emlyn Burns, Emlyn Jones, Elizabeth Evans, Margaret Williams a Renee White".

Fe enillodd Nancy Bateman bump o weithiau yn yr Eisteddfod Genedlaethol, gydag ennill y Rhuban Glas yn glo teilwng i'w gyrfa gystadleuol. Canodd am y tro cyntaf gyda Chwmni Opera Cenedlaethol Cymru yn 1949, yn nyddiau cynnar y WNO, gan chwarae rhan Marenka yn The Bartered Bride (Smetana). Ei brawd, Evan, oedd Vasek yn y cynhyrchiad hwnnw. "'Roedd Evan yn gomig, am fod atal-dweud arno fe. 'Doedd e' ddim yn darllen cerddoriaeth. Felly, 'roeddwn i'n gorfod rhoi pwniad iddo i daro'r nodyn yn y lle iawn". Soniai'r adolygiadau am ei pherfformiad hi ei hun fel 'un delfrydol i ran Marenka; perfformiad yn llawn egni a

swyn'. Yr oedd ei gŵr, Tom Bateman yn chwarae rhan Tobias Micha yn yr un cynhyrchiad. Yn 1955 fe chwaraeodd Nancy Bateman ran Marguerite yng nghynhyrchiad y Cwmni Opera Cenedlaethol o Faust (Berlioz).

Atgof rhai o'i hedmygwyr amdani oedd y troeon y bu Nancy Bateman a Jennie Ellis yn canu mewn cyngherddau adeg y rhyfel yn y Tabernacl, Caerdydd. Bu'n brysur ar lwyfan cyngerdd, fel darlledwraig gyson, ac yn arbennig felly ym myd oratorio. Treuliodd ei blynyddoedd olaf yn byw yn Saundersfoot yn Sir Benfro. Yn y cyfnod hwnnw bu'n hyfforddi cantorion ieuanc. Un o'i disgyblion disgleiriaf oedd Helen Gibbon. Bu farw Nancy Bateman yn Ionawr 1990 yn 77 oed.

1945

RHOSLLANNERCHRUGOG

SALLY LLOYD PARRY, ELLESMERE PORT (CONTRALTO)
TABITHA HUGHES, LLANFYLLIN   (MEZZO SOPRANO)

DYMA'R unig dro i'r Wobr Goffa gael ei rhannu, a hynny rhwng y Contralto a'r Mezzo-Soprano. Rhoddir eu hanes yn y drefn y cofnodir yr enwau yn llawlyfr Llys yr Eisteddfod.

Yn ystod yr Eisteddfod hon y cyhoeddwyd o'r llwyfan gan yr Henadur J. T. Edwards fod y Siapaneaid wedi ildio. Daethai'r Ail Ryfel Byd i ben. Yn union wedi'r cyhoeddiad fe gynhaliwyd gwasanaeth o ddiolchgarwch yn y pafiliwn dan arweiniad y Parchedig Meic Parry. Wedi'r llawenydd o glywed bod y brwydro ar ben fe ganodd y saith mil a oedd yn y gynulleidfa yr emyn 'Cyfamod Hedd' dan arweinyddiaeth y Dr David Evans. Yna offrymwyd gweddi gan y cyn-Archdderwydd, Elfed. Daeth y gwasanaeth byr i ben pan ymunodd y gynulleidfa i ganu am Graig yr Oesoedd. Fe'i canwyd gyda'r fath arddeliad a chyda'r fath ymchwydd o sŵn fel bod 'yr awel ysgafn yn ei gario am filltiroedd' meddai'r wasg.

Ganwyd Sally Lloyd Parry ym Mwlchgwyn, ger Wrecsam, ar 29 Mawrth 1895 yn un o wyth o blant James a Mary Hannah Lloyd. 'Roedd y teulu'n hoff o gerddoriaeth, drama ac adrodd. Sally oedd yr un a safai ben ac ysgwydd yn well na'r gweddill am fod ganddi dalent arbennig. Enillodd gwpan arian yn ifanc mewn eisteddfod leol ac 'roedd hi wrth ei bodd yn cystadlu.

Priododd â William Arthur Parry ac aethant i fyw i Ellesmere Port. Ganwyd iddynt bedwar o blant ac oherwydd y gofynion teuluol bu seibiant yng ngyrfa gerddorol Sally. Ail gydiodd mewn cystadlu a dod yn ail ar yr unawd Contralto ym Mangor 1943. Wedi cael blas arni penderfynodd baratoi ar gyfer Eisteddfod Rhosllannerchrugog 1945 a chael gwersi gan Margaret Lloyd, arweinydd côr 'Chester Deva Ladies'.

Cafodd berswâd ar ei nith, Enid Lloyd o Goedpoeth, i gystadlu ar y ddeuawd yn y Rhos a daethant yn fuddugol allan o ddeuddeg-ar-hugain o ddeuawdau. Eu deuawd hwy oedd 'O Hyfryd Hedd' allan o Judas Maccabeus.

Ar y pnawn y cyhoeddwyd bod y rhyfel ar ben yr enillodd y ddwy ar y ddeuawd ac aeth Sally Lloyd Parry yn ei blaen yr un diwrnod i ennill yr unawd Contralto. 'Roedd 64 o ferched wedi cystadlu yn ei herbyn. I goroni'r dydd fe rannodd Wobr Goffa David Ellis efo'r Mezzo-soprano, Tabitha Hughes. Y panel beirniaid oedd y Dr David Evans, Richard Evans, John Hughes, D. J. de Lloyd, D. E. Parry-Williams a W. S. Gwynn Williams.

O ganlyniad i'w llwyddiant bu galw mawr am ei gwasanaeth fel unawdydd. Canodd mewn cyngherddau gyda chantorion enwog fel Isabel Baillie, Elsie Suddaby, David Lloyd, Nancy Bateman, Oscar Natzka, Rene Soames a Redvers Llewelyn. Dywedodd y rhai a'i clywodd pan oedd hi yn ei hanterth fod ganddi lais "soniarus, naturiol; llais a weddai i'r dim i feicroffon". Am sawl blwyddyn bu'n darlledu'n gyson ar y radio o Fanceinion ac o Fangor.

Bu farw Sally Lloyd Parry yn 85 oed yn 1981.

Y N Llanfyllin, Sir Drefaldwyn, y ganed Sarah Elen Tabitha Hughes yn 1914. Treuliodd ei thad, John Gittins Hughes, ei flynyddoedd cynnar yn Chicago. Gan ei mam, Clara Elizabeth Hughes, y cafwyd y ddawn gerddorol. Bu'r fam yn organydd yn ei chapel am dros hanner canrif. Fe alwyd y ferch yn Tabitha ar ôl modryb iddi a briododd Athro mewn coleg yn America. Cafodd Tabitha Hughes ei haddysg gynradd ac uwchradd yn Llanfyllin.

Chwaer hŷn iddi, Gwladys Mair, oedd Telynores Powys. Y delyn oedd un o'r offerynnau a feistriolodd Tabitha hithau, gan droi ei llaw hefyd at y piano, y ffidl a'r soddgrwth yn ogystal â chanu. Mae'r chwaer ieuengaf, Christabel, yn cofio bod mynd cyson ar yr holl offerynnau yn y tŷ ym mlynyddoedd plentyndod. " 'Roedd fy nwy chwaer yn arwain corau plant yn Eisteddfod Powys ac yn y Genedlaethol, a dysgodd fy mam genedlaethau o blant i ganu'r piano. Hen daid i ni oedd Gwilym Cyfeiliog [William Williams, 1801-1876, a aned yn Llanbryn-mair; awdur yr emyn 'Caed trefn i faddau pechod' a thad Richard Williams awdur *Montgomeryshire Worthies*]. A thra'n bod ni'n sôn am deulu, 'roedd Emyr Williams, ysgrifennydd Llys yr Eisteddfod Genedlaethol yn ei ddydd, yn ewyrth i ni".

Yn 24 oed enillodd Tabitha y llythrennau LRAM o'r Academi Frenhinol yn Llundain ac yn ystod ei chyfnod yn athrawes cerdd yn ysgolion Whitfield a'r Duke of Norfolk, Glossop yn Swydd Derby, 'roedd hi'n aelod o Gôr Darlledu'r Hallé ym Manceinion. Enillodd gwpanau gyda'i chôr plant yn y Burton Music Festival yn 1937 a 1938. Gorffennodd ei gyrfa fel athrawes yn Upton, ger Caer, ac yn y cyfnod canol oed hwnnw fe safodd arholiad y CWB mewn Llenyddiaeth Gymraeg a llwyddo.

Bu farw Tabitha Hughes ddechrau Chwefror 1988, yn 73 oed.

1946

ABERPENNAR

VIOLET SAMUEL, WRECSAM (CONTRALTO)

NODIR fod Gwobr Goffa David Ellis "i'r unawdydd gorau yn y cystadleuthau lleisiol". Yn yr eisteddfod hon yr urddwyd y Dywysoges Elizabeth [Y Frenhines er 1953] i'r Orsedd fel 'Elisabeth o Windsor'.

Ganed Violet Samuel yn Wrecsam, Sir Ddinbych, yn 1915. Bu farw ei mam ar ei genedigaeth. Maged hi gan ei modryb. Teulu o adeiladwyr yn ardal y goledd-ddwyrain oedd y Samueliaid.

Er nad oes dim bellach yn wybyddus am flynyddoedd cynnar Violet Samuel, mewn nodyn yn ei llawysgrif ei hun a gadwyd gan ei llysfab, mae'n cofnodi ei llwyddiannau ym myd y gân o 1931 ymlaen. Enillodd fedal aur yng Ngŵyl Gerdd Lerpwl 1931; dyna'r cofnod cyntaf. Enillodd y wobr gyntaf yn Eisteddfod Powys yn 1933 ac eto yn 1934. Medal arian a gafodd hi yng Ngŵyl Gerdd Lerpwl 1934, ond enillodd y fedal aur yno eto yn 1935 ac 1937. Y mae yma hefyd gofnod o'i llwyddiannau yng Ngŵyliau Cerdd Lytham St. Anne's a Wigan, ac yn eisteddfodau Licswm 1935, lle'r enillodd gwpan arian, a Walton 1935 ac 1936 lle'r enillodd gwpan arian a chwe gwobr arall naill ai fel Contralto neu Mezzo-Soprano.

Yn 1937, yn yr adran operatig, fe enillodd gystadleuaeth y 'Golden Voice Girl' a drefnwyd gan Gaumont British a'r *News Chronicle*. Y cofnod nesaf, wedi i'r Ail Ryfel Byd roi taw ar y canu, yw "Ennill ar yr unawd Contralto ac ar y Rhuban Glas yn Eisteddfod Genedlaethol Cymru Aberpennar 1946".

Yn ei ragair i raglen yr eisteddfod honno fe ddywed y Parchedig Morgan Price, Abercwmboi, am golled dyffryn Cynon o'i harddwch cynnar gan yr hacrwch diwydiannol. "Aeth llwch y glofeydd yn barddu tew ar ddŵr yr afon. Yn lle coed gosgeiddig, hirbraff, a'r wiwerod yn sboncio'n chwim dros eu cangau … fe geir tai o bob lliw a maint lle gall cathod lamu hyd y toiau".

Enillodd Violet Samuel glod uchel am ei pherfformiad am Wobr Goffa David Ellis. Fe ganodd 'A Wyt am Dosturio' (Brahms) Opus 33 allan o Saith o Ganeuon Brahms, a 'Mawredd Duw' (W. Bradwen Jones). Wrth draddodi ei feirniadaeth fe ddywedodd John Hughes fod dirywiad amlwg wedi digwydd yn safon cyffredinol canu unawdau yn ystod cyfnod y rhyfel, "Yr oedd rhai ohonom wedi cyrraedd y pwynt lle'r oeddem yn anobeithio am glywed unrhyw beth arbennig nes i ni glywed llais Miss Violet Samuel. Y mae hi wedi llwyddo i roi gobaith newydd i ni, am fod enaid yn ei chanu".

Bu'n darlledu cyn ennill y Rhuban Glas. Darlledodd ar Wasanaeth Cymru o'r BBC i ddathlu Gŵyl Ddewi 1946. Cofnodir sawl perfformiad ganddi yn y *Wrexham Leader* a'r *Wrexham Advertiser* gan ganmol ei dehongliadau deallus. Cofnodir hefyd mewn rhaglenni o gyngherddau ganddi sylwadau'r Dr Caradog Roberts "Y mae Violet Samuel yn gantores fwriadol ei mynegiant, sy'n dangos crebwyll cerddorol. Fe'i bendithiwyd â llais cyfoethog". Yn 1997 darganfuwyd cân gan Caradog Roberts "na chyhoeddwyd hyd yn hyn ymysg cerddoriaeth y diweddar Mrs V. I. Dodd (gynt Samuel) gan ei llysfab". Y gân yw 'Y Dirgelwch' a'i fe'i cyflwynwyd gan Caradog Roberts 'I Violet Samuel, gyda'm dymuniadau gorau'.

Bu'n aelod o Gymdeithas Operatig Wrecsam mewn cynyrchiadau o 'The Mikado' a 'Yeomen of the Guard', ac yn ddiweddarach o Gymdeithas Opera Caer.

Yn ôl ei ffrind, y gantores Joan Chesterton, "'Rwy'n cofio siarad efo Violet ac fe ddywedodd hi na wnaeth hi dderbyn y fedal [Gwobr Goffa David Ellis] ac 'rwy'n cofio ysgrifennu llythyr drosti. Ond nid wyf yn meddwl ei bod wedi derbyn y fedal".

Bu farw Violet Samuel yn 1993.

1947

BAE COLWYN

IVOR LEWIS, WRECSAM (BAS)

Y M Metws Cedewain, Sir Drefaldwyn, y ganed Ivor Lewis yn 1916. Melinydd oedd ei dad. Teulu mawr o ran nifer, ond bach o gorffolaeth, oedd teulu'r Lewisiaid gydag Ivor yn un o un-ar-ddeg o blant.

Daeth ei ddawn fel canwr i'r golwg yn gynnar. Wyth oed oedd o pan ddechreuodd ganu ar lwyfannau'r fro. "Llais soprano oedd gen i bryd hynny, a phan dorrodd fy llais 'roedd o'n swnio fel rhwygo lliain llong hwylio".

Symudodd y teulu i Pool Quay, ger y Trallwng ac yna i Wrecsam lle cafodd Ivor Lewis waith yn ffatri'r Royal Ordnance a chyfnod pellach yn ffatri Cwmni Awyrennau de Havilland. Wedi hynny bu'n gweithio yn y diwydiant adeiladu. Yno 'roedd o pan gafodd ddamwain ddifrifol gan anafu ei fraich. Bellach 'doedd gwaith corfforol trwm ddim yn bosibl a bu'n rhaid iddo feddwl am ffordd arall o gael dau ben llinyn ynghyd. Dyna pryd y trôdd at ganu.

Er yn fychan o gorff, "pum troedfedd pump a bod yn fanwl" [- ac mae hynny'n ei 'mestyn hi!] yr oedd yn berchen llais mawr, cryf. Dechreuodd astudio dan gyfarwyddid Mr Powell Edwards, y Rhos, ac enillodd yr unawd Bas yn Eisteddfod Genedlaethol Rhosllannerchrugog 1945. Blwyddyn lwyddiannus oedd hon gan iddo ennill yn ogystal Gwpan Her Summers a'r Blackpool Rose Bowl. Rhoddodd ail gynnig ar y Genedlaethol yn 1947 gan ennill yr unawd Bas eto a mynd yn ei flaen i ennill Gwobr Goffa David Ellis "ac mae'r fedal yn dal gen i", meddai gyda balchder.

Meddai adolygydd cerddorol y *Liverpool Daily Post* "Ni chlywais erioed y fath ganmol gan y beirniaid ag a gafwyd i berfformiad buddugol Ivor Lewis".

Yn gynt y flwyddyn honno yr oedd wedi ennill tair gwobr yng Ngŵyl Gerdd Cheltenham. Ond wedi ennill y Rhuban Glas daeth yn bryd troi am Lundain ac at yrfa broffesiynol. Ei hyfforddwr yno oedd Norman Allin a ddywedodd amdano "Y mae gan Mr Lewis lais coeth anghyffredin; llais bas go iawn o ansawdd gwych. Y mae ef hefyd yn gerddor da ac yn ganwr sensitif, llawn dychymyg sydd ar ei orau tra'n dehongli Mozart a Handel".

Ar ddechrau ei yrfa broffesiynnol fe enillodd £250 yng nghystadleuaeth 'Search for the Stars'. Honnid gan rai na ddylai fod wedi cystadlu o gwbl mewn cystadleuaeth a fwriadwyd i amaturiaid. "Ond fe fu'r arian yn help mawr i dalu am wersi cwbl angenrheidiol i'm gyrfa". Datblygodd yr yrfa honno yn bennaf trwy oratorio. Yn ei *repertoire* fe gynhwysir 'Meseia', 'Samson', 'Judas Maccabeus', 'Acis a Galatea' (i gyd gan Handel), 'Y Greadigaeth' (Haydn), 'Elias' ac eto 'St. Paul' (Mendelssohn), 'Yr Offeren yn B leiaf' (J. S. Bach), 'Stabat Mater' (Dvorak).

Canodd gyda chantorion enwog fel Isabel Baillie, Kathleen Ferrier, Marjorie Thomas, Janet Price, Rowland Jones, Heddle Nash a David Lloyd. Gwelwyd ef olaf ar lwyfan yr Eisteddfod Genedlaethol mewn cyngerdd ym Mhwllheli 1955 gyda Shân Emlyn, Richie Thomas a Chôr yr Eisteddfod dan arweiniad J. Morgan Nicholas. Darlledodd gryn lawer ar y radio a bu'n unawdydd gwâdd gyda chorau meibion Trelawnyd, Rhos, Brymbo, Froncysyllte a Chôr Orffews y Rhos. Fe gofiodd hefyd am fro ei febyd trwy ganu efo Côr Merched Hafren.

Yn y flwyddyn 2000 bydd Ivor Lewis yn cyrraedd y garreg filltir o fod yn 85 oed ac mae'n byw gyda'i briod yn Llandrillo yn Rhos. Mae ei gartref o fewn golwg i faes yr Eisteddfod honno yn 1947 "a agorodd y drws i mi i'r byd mawr proffesiynnol". Clamp o ganwr, ar waetha'r pum troedfedd pump!

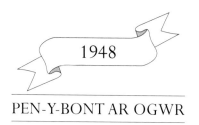

1948

R. A. PRYCE, PWLLHELI (BAS)

GANED Richard Alfred Pryce yn Aberangell ym Meirionnydd, 12
Tachwedd 1902, yn fab i Richard a Margaret Pryce. Fe'i maged ar
aelwyd 'Y Winllan', y pedwerydd o bump o blant. Yn ôl y teulu yr oedd
y tad yn ganwr da, ond 'Richard y mab oedd y baswr'.

Wedi cyfnod yn ysgolion Aberangell a Machynlleth aeth i weithio fel
clerc yn y felin goed yn Ninas Mawddwy. Byddai rhai merched, erbyn
diwedd y Rhyfel Byd Cyntaf, yn gweithio yn y felin ac yno y cyfarfu ag
Anne (Nansi) Thomas. Yr oedd hi ychydig yn hŷn nag ef ac yn gantores a
llais melys iawn ganddi. Yn 1921, ac yntau yn ddeunaw oed, fe briododd
y ddau. Yn 1923 ymunodd â'r heddlu, a gwasanaethu am ychydig yng
Nghaernarfon. Bu ym Mangor am ddeng mlynedd, yna ym Mhwllheli
am bymtheg mlynedd, cyn cael ei ddyrchafu'n rhingyll a symud yn ôl i

Fangor yn 1949. Yn nechrau Ebrill 1956 ymddeolodd wedi 33 blynedd gyda'r heddlu.

Daeth hi'n amlwg yn gynnar yn ei fywyd fod ganddo lais bas o ansawdd arbennig iawn. Bu'n canu'n lleol am flynyddoedd, mewn eisteddfodau ac ambell gyngerdd, a byddai ef a'i briod yn aml yn canu deuawd efo'i gilydd. Mewn adroddiadau yn y wasg leol Saesneg fe gyfeirid ato'n aml fel "*the singing policeman*"! Ond yn 1947 fe'i perswadiwyd i feithrin ei lais a'i ddawn o dan hyfforddiant Mr Powell Edwards, Rhosllannerchrugog.

Mentrodd i'r Brifwyl am y tro cyntaf yn 1948, ym Mhen-y-bont ar Ogwr, gan gystadlu ar yr unawd Bas. Enillodd gyda chanmoliaeth uchel, a 93 o farciau. Dywedai un o feirniaid y gystadleuaeth honno: "Yr oedd ei ddawn wedi creu'r fath argraff arnom nes inni gytuno peidio â beirniadu ac eistedd yn ôl i fwynhau ei ganu. Dyma berfformiad lleisiol gorau'r wythnos".

Aeth ymlaen ddiwedd yr wythnos i gipio Gwobr Goffa David Ellis. Yr oedd bellach wedi magu hyder fel cystadleuydd.

'Roedd yn un a ddaeth i'r brig mewn cystadleuaeth boblogaidd a drefnwyd gan y BBC yn Rhosllannerchrugog o dan yr enw 'Search for the Stars' [gweler hefyd Ivor Lewis, Rhuban Glas 1947]. Enillodd ar yr unawd Bas eto yn Eisteddfod Genedlaethol Llanrwst, 1951. Y flwyddyn ganlynol, 1952, aeth i gystadlu am y tro cyntaf i Eisteddfod Ryngwladol Llangollen, gan gipio'r wobr gyntaf am yr unawd Bas. Rhyfeddai'r beirniaid yno at ei lais. Canmolai yr Athro A. E. Cherbuliez, o Zurich, ei 'ystod eang, o'r bas dwfn i uchelfannau cain y bariton'.

O ganlyniad i'r llwyddiannau hyn bu galw mawr amdano ar lwyfannau cyngherddau, yn enwedig yng Ngogledd Cymru. Yn 1954 fe'i gwahoddwyd i ganu yng Nghyngerdd Gŵyl Ddewi Cymdeithas Cymry Llundain yn Neuadd Albert.

Bu'n wasanaethgar mewn llawer cylch ym Mangor, yn arbennig o fewn eglwys Ebeneser ac wedi hynny ym Mhendref, a'i adnabod gan bawb fel "Sarjant Pryce". Bu'n arweinydd y gân yn ei eglwys ac etholwyd ef yn ddiacon yn 1957.

Parhaodd i fyw ym Maes y Dref ym Mangor tan ei farw ar 6 Hydref 1973 yn 70 mlwydd oed. Fe'i claddwyd ym mynwent y capel yn ei bentref genedigol, Aberangell.

1949

TOM JONES, PENMAEN-MAWR (BAS)

Y^N Nwygyfylchi ger Penmaen-mawr y ganed Tom Jones yn 1905. Yr un a'i hysgogodd i gystadlu oedd Cynan [y Parchedig Albert Evans Jones bryd hynny] a ddaethai'n weinidog i'r ardal. O un-ar-bymtheg oed ymlaen fe ganai Tom Jones, gyda llwyddiant amlwg, mewn eisteddfodau a chyngherddau lleol. Yn bedair-ar-bymtheg oed fe'i hyfforddwyd am ddwy flynedd gan y Dr Caradog Roberts.

Am ryw reswm, rhoddodd y gorau i ganu rhwng 1926 a 1944 pan aeth i fyw i Fodorgan ar Ynys Môn. Ymunodd efo'r Kentucky Minstrels a chael blas ar ganu eto. Yr un a'i hysgogodd y tro hwn oedd Mr Powell Edwards a ddeuai i goleg y Brifysgol ym Mangor. Awgrymodd Mr Edwards, ymhen blynyddoedd, y dylai'r canwr gystadlu yn Eisteddfod Genedlaethol Bae Colwyn 1947 a chafodd ail ar yr unawd Bas yn erbyn Ivor Lewis.

Bu'r flwyddyn 1947 yn flwyddyn gofiadwy iddo gan iddo symud i fyw i Benmaen-mawr, ennill yn Eisteddfod Ryngwladol Llangollen [ym mlwyddyn gyntaf yr eisteddfod honno] ac ennill y fedal aur ar ei ymgais gyntaf yn Eisteddfod Lewis', Lerpwl.

Ddwy flynedd yn ddiweddarach y daeth ei foment fawr. Enillodd y wobr gyntaf yn Eisteddfod Genedlaethol Dolgellau 1949 ar yr unawd Bas yn canu monolog 'Boris' (Mussorgsky) a 'Gwynfyd' (Meirion Williams). Aeth yn ei flaen i ennill y Rhuban Glas ar y dydd Sadwrn. Gan nad oedd ganddo gar bryd hynny cafodd ei gludo i Gyffordd Llandudno gan gyfaill – wel, cyfaill o ryw fath! Oherwydd, a hithau bellach wedi hanner-nos, bu'n rhaid i Tom Jones gerdded o'r Cyffordd i Benmaen-mawr a chyrraedd adre yn oriau mân y bore.

Drwy ennill yng Ngŵyl Gerdd Southport yn 1950 daeth yr hawl i fynd ymlaen i gystadleuaeth arall yn y Wigmore Hall yn Llundain a daeth yn bedwerydd yno yn erbyn cantorion o Brydain gyfan.

Cafodd ail gyfle ar y Rhuban Glas. Enillodd yr unawd Bas yn Eisteddfod Genedlaethol y Rhyl 1953 ond torrodd i lawr oherwydd anffawd i'w lais ar gystadleuaeth Gwobr Goffa David Ellis.

Darlledodd droeon o Neuadd y Penrhyn, Bangor ar raglenni radio Sam Jones a chanodd mewn cyngherddau hyd y lle efo David Lloyd a Richie Thomas.

Byddai'n hysbysu awdurdodau'r Dreth Incwm o'i holl enillion. Yr oedd yn rhaid iddo, gan mai "dyn y Dreth Incwm" oedd o wrth

ei waith! Oherwydd ei waith bu'n rhaid symud i Lundain i fyw yn 1956. Dyna sut y daeth y cyfle iddo i ganu efo'r corws yn Nhŷ Opera Covent Garden, profiad a fwynhaodd yn fawr.

Cafodd y pleser hefyd o'i dderbyn yn aelod o Orsedd y Beirdd yn Eisteddfod Genedlaethol Abertawe 1964. A phwy oedd yr Archdderwydd a'i derbyniodd i'r Urdd Ofydd? Ie! Cynan, y gŵr a'i hysgogodd i gystadlu pan oedd Tom Jones yn fachgen ieuanc.

Dychwelodd i Benmaen-mawr yn 1967 ac yno y bu hyd ei farw yn 1977.

1950

CAERFFILI

ARTHUR O. THOMAS, GLYN CEIRIOG (BARITON)

Yɴ yr Eisteddfod hon y gweithredwyd 'y rheol iaith' am y tro cyntaf.
Credaf ei bod yn werth cofnodi yma yr hyn a ddywed Rhagair y
Cyd-Ysgrifenyddion yn *Adroddiad Llys yr Eisteddfod Genedlaethol* yn y
flwyddyn 1948:

"Dyma Bwyllgor Eisteddfod Caerffili o'r cychwyn wedi profi ei
awydd i gario allan bolisi'r Cyngor ar fater yr iaith, a hynny hyd yn oed
mewn ardal lle siaredir cymaint o Saesneg. Am y tro cyntaf erioed yn
hanes Eisteddfod Genedlaethol Cymru bydd yr holl gystadlu yn
Gymraeg – hyd yn oed yr holl gystadlu cerddorol!

Gofynnwyd i Bwyllgor Caerffili ddewis cerddoriaeth safonol, pa un
bynnag a oedd geiriau Cymraeg i'w chanlyn ai peidio hyd yma, ac aeth y
Cyngor yn gyfrifol am sicrhau geiriau Cymraeg i bob un o'r darnau
dewisedig. Galwyd ynghyd bwyllgor o gyfieithwyr dan arweiniad y Dr T. H.
Parry-Williams, ac yr oedd yr holl waith wedi ei orffen mewn mis o amser.
Ymhellach, er mwyn cynorthwyo'r Cyngor yn ei frwydr dros y Gymraeg
yn Adran Cerddoriaeth cytunodd y cyfieithwyr am eleni drosglwyddo'r
hawlfraint hefyd; a bydd y gweithiau hyn, y bu'r Cyngor yn gyfrwng i'w
sicrhau a'u cyhoeddi ar eiriau Cymraeg, at wasanaeth eisteddfodau a
chyngherddau trwy'r wlad, yn ogystal â'r Eisteddfod Genedlaethol.

Y mae Eisteddfod Caerffili eisoes yn gwneud hanes iddi ei hun
ymhlith Eisteddfodau'r De am ei Chymreigrwydd iach. Amser a
ddengys a fydd y polisi . . . rhesymol a rhesymegol hwn o ganu yn
Gymraeg yn Eisteddfod y Cymry o 1950 ymlaen wedi profi'n ddinistr
i'r prif gystadleuthau corawl!"

Ganed Arthur O. Thomas ar 9 Awst 1916 ar fferm Ty'n-y-groes, Glyn
Ceiriog. Ef oedd plentyn hynaf Allen a Kate Thomas, a dilynodd ei dad
wrth ymarfer crefft gyntaf dynol-ryw yn 'dilyn yr ôg ar ochor y glog'.
Dyma un arall o ddisgyblion Powell Edwards o'r Rhos.

Yn ei ugeiniau cynnar y dechreuodd ganu, yn y dyddiau cyn dechrau'r Ail Ryfel Byd. Canai ar lwyfannau Dyffryn Ceiriog mewn eisteddfodau a chyngherddau. Canodd i groesawu adref y bechgyn a'r merched a fu'n gwasanaethu yn y lluoedd arfog ac aeth ymlaen i gystadlu ar yr unawd Bariton yng Nghaerffili gan ennill ar y dydd Iau, yn erbyn 27 o gystadleuwyr, yn canu 'Neb ond y sawl a ŵyr' (Tchaichovsky) a 'Prometheus'.

Ar y dydd Sadwrn fe enillodd y Rhuban Glas gan ennill clod arbennig am ei ddehongliad o 'Cân, utgorn, cân' (Bradwen Jones).

"Galwyd hi'n 'eisteddfod y gwellt' gan i wellt gael ei daenu hyd y maes oherwydd y gwlybaniaeth mawr. A minnau'n ffarmwr, teimlwn yn eithaf cartrefol yno! Er hynny, pan ddaeth yr awr fawr i fynd i'r llwyfan yr oeddwn yn sobor o nerfiws. Tra'n sefyll ar ben y grisiau efo Gwilym Gwalchmai a rhai o'm ffrindiau y tu allan i'r pafiliwn yr oedd fy ngheg mor sych fel y gallwn yfed afonydd dyfroedd, pan ddaeth cymydog o'r Glyn 'ma heibio ar ei ffordd i gyfarfod o'r Orsedd. Rhoddodd oren i mi i dorri fy syched. Yn union wedyn daeth Mary Jones, Llanfairfechan gynt, [cantores enwog yn ei dydd] i'r golwg a rhoddodd hithau dabled i mi i dawelu fy nerfau. Rhwng y sudd oren a'r dabled enillais y dydd".

O'r chwith: R. J. Morris, Eirwen Jones, Arthur O. Thomas a Gwilym T. Hughes.

Ar ein ffordd adref fe alwodd Arthur Thomas a Vera, ei wraig, a Mr a Mrs Powell Edwards mewn gwesty ym Merthyr Tydfil i ddathlu'r amgylchiad "dros bryd o fwyd moethus".

Ymhen deuddydd cafwyd noson i'w chofio yn Neuadd Goffa Glyn Ceiriog pan ddaeth y pentrefwyr ynghyd i'w longyfarch ef a thri arall o'r dyffryn a enillodd wobrau yng Nghaerffili sef Eirwen Jones (ail ar yr unawd Mezzo-soprano), Gwilym T. Hughes (cyntaf ac ail ar y stori fer ddigri') ac R. J. Morris (cyntaf am gribyn wair, ac ail am lwy garu yn yr adran Celf a Chrefft). "Minnau'n gorfod canu y ddwy gân yr enillais Wobr Goffa David Ellis arnynt," meddai Arthur Thomas, "gyda Maelor Richards, o anfarwol goffadwriaeth, yn cyfeilio".

Daliodd ati i gystadlu yn yr Eisteddfod Genedlaethol ac mewn Gŵyliau cerddorol eraill am flynyddoedd. Enillodd yn Eisteddfod Powys yn Llanrhaeadr-ym-Mochnant yn 1956 gan guro Eric Mortimore [gweler Rhuban Glas Aberdâr 1956]. Y flwyddyn honno hefyd fe enillodd Arthur Thomas y 'Rose Bowl' yn Blackpool, y pedwerydd Cymro i wneud hynny, ac yn ôl ei fab, Gareth, "yr oedd gan dad fwy o feddwl o'r 'Rose Bowl' na'r Rhuban Glas".

Cododd Gôr Cymysg ar gyfer Eisteddfod Powys yng Nglyn Ceiriog yn 1957, a dyna'r flwyddyn yr enillodd ar yr unawd Bas yn Eisteddfod Genedlaethol Llangefni gan fod y cyntaf i ennill mewn dwy adran leisiol wahanol. Canolbwyntiodd ei egni cerddorol wedyn ar arwain Côr Cymysg Dyffryn Ceiriog. Wedi dod yn ail yn Eisteddfod Genedlaethol y Rhos 1961 fe ddaeth y Côr i'r brig yn Eisteddfod Genedlaethol Llandudno 1963.

Mae Arthur Thomas wedi dioddef yn ddewr yr afiechyd sy'n ei lethu ar ddechrau gwanwyn 2000 ac yn cofio gyda balchder iddo ennill y Rhuban Glas yn 1950 – "a gorfod aros hyd 1977 cyn cael fy nerbyn i'r Orsedd"!

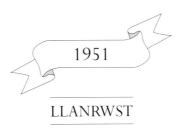

1951

LLANRWST

ELUNED JONES-THOMAS, PONT-Y-CLUN (SOPRANO)

GANED Eluned Jones-Thomas ar nos galan 1909 yn Ferndale, y Rhondda. Teulu cerddorol oedd hwn gyda Tom, y brawd mawr, Brynmor, y brawd bach, a Gwyneth, y chwaer iau, fel Eluned ei hun yn cael pob cefnogaeth gan eu tad i fynd am wersi canu at Mr Penry yn Ferndale. Gŵr oedd ef a ddysgodd hyfforddiant llais trwy gwrs gohebol.

Byddai tri o'r pedwar plentyn (Brynmor, Gwyneth ac Eluned) yn cystadlu'n gyson yn erbyn ei gilydd gan ddysgu ennill a cholli yn eu tro. Golygai hyn weithiau daith dros fynydd Aberdâr i'r cymoedd gerllaw a chyrraedd adref yn oriau mân y bore. Canai'r tri yn sinemáu'r Rhondda yng nghyfnod y ffilmiau mud, ac yn ddiweddarach canai Eluned a Gwyneth yng Nghôr yr Hen Bont, Pontypridd a arweinid gan Brynmor.

Priododd Eluned â David Thomas o Tylorstown yn 1939, yntau'n hannu o deulu Mansel Thomas [Pennaeth Adran Cerdd y BBC am flynyddoedd], a symudwyd i fyw i Bont-y-clun.

Erbyn 1951, pan aeth hi i gystadlu i Lanrwst, cawsai wersi canu gan Dan Jones, Pontypridd a chan Ronald Chivers, Caerdydd. Fe enillodd yr unawd Soprano. "Yn anffodus", meddai ei merch Eleanor, "doedd mam ddim wedi dod â cherddoriaeth ychwanegol efo hi ar gyfer y Rhuban Glas. Felly, dyma gysylltu ar y ffôn efo Brynmor a bu'n rhaid iddo yntau deithio'n annisgwyl i Lanrwst. Erbyn iddo gyrraedd 'roedd mam yn dioddef o wddf tost. Er hynny, fe enillodd er mawr fwynhad i ni i gyd. Pedair oed oeddwn i ar y pryd a chlywed mam yn canu wnes i ar y Soprano trwy'r uchelseinydd, a nabod ei llais yn syth".

Am rai blynyddoedd amodau'r gystadleuaeth am Wobr Goffa David Ellis oedd (a) yr unawd Gymraeg yn ei dosbarth; (b) unawd o ddewis yr unawdydd. Erbyn Llanrwst fe nodir 'Cystadleuaeth arbennig i unawdwyr buddugol (a) yr unawd yn ei dosbarth; (b) unawd o waith cyfansoddwr Cymreig heb fod yn y gystadleuaeth uchod i'w chanu yn Gymraeg'.

Eisoes cawsai Eluned Jones-Thomas gynnig Ysgoloriaeth i astudio canu yn Llundain ond ni allai dderbyn. Agorwyd y drws eto wedi ennill Gwobr Goffa David Ellis ond, am yr eildro, gwrthodwyd y cynnig. Datblygodd i fod yn un o'r artistiaid hynny yr oedd galw mawr am ei gwasanaeth yn lleol ac ar y radio. Cofir amdani'n canu yn Llantrisant ar yr un rhaglen â Sandy Macpherson, yr organydd enwog.

Yn niwedd y pumdegau canodd mewn eisteddfod leol yn Llanharan "a mam enillodd. Yr ail y noson honno oedd canwr ifanc o Gilfynydd o'r enw Stuart Burrows"!

Rhoddodd un cynnig arall ar gystadlu a hynny yn Eisteddfod Genedlaethol y Rhos 1961. Ei thro hi oedd dod yn ail yno.

"Byddai mam yn gwylio'r cystadlu o'r Genedlaethol bob blwyddyn ac yn mynd, tra medrai, i gyngherddau lleol. Pan ddeuai Mark Stuart yno i ganu byddai mam yn ei holi am ei dad [Stuart Burrows] gan ei bod yn meddwl y byd ohono ac yn ymfalchïo yn ei lwyddiant. Yr oedd llais mam o ansawdd tebyg i un Isabel Baillie ac fe'm hatgoffir i ohoni pan glywir Isabel Baillie ar y radio yn canu 'Hear Ye Israel' ".

Syrthiodd Eluned Jones-Thomas yn ei fflat, mewn cartref dan warchodaeth, ym Mhont-y-clun ganol y naw-degau. Dyna'n wir oedd dechrau'r diwedd, a bu farw'n ddisymwth ar 5 Tachwedd 1998.

RICHARD HENRY REES, PENNAL (BAS)

G ANED Richard Rees yn Nhy'n-y-berth, Corris Uchaf ym Meirionnydd ar Ragfyr 29, 1925. Symudodd y teulu i Bennal, ger Machynlleth, yn 1937 pan oedd Richard yn llanc deuddeg oed. Dechreuodd gystadlu'n gynnar "ac yn ôl erthygl gan Idris ap Harri yn un o'r papurau lleol 'roeddwn i'n ennill fy hanner-canfed gwobr gyntaf yn 10 oed".

Daeth y llais aruthrol o gyfoethog a phwerus a oedd ganddo o ochr ei fam. Dywedwyd wrtho gan ei hyfforddwr, Ifan Maldwyn Jones, Machynlleth, fod gan fam Richard Rees ddigon o lais alto i foddi côr. O'r ysgol leol yng Nghorris Uchaf aeth Richard Rees i Ysgol y Sir yn Nhywyn, Meirionnydd. Giard ar y rheilffyrdd oedd Ifan Maldwyn, ac un bore, wrth gerdded y coridor ar dren oedd yn mynd trwy Dywyn, wedi pasio Gogarth Halt clywodd lais un o'r plant ysgol yn canu, a sylweddolodd y giard fod yma lais y dylid ei ddiogelu a'i feithrin. Holodd y llanc a chael yr ateb mai Richard Rees o Benmaen-bach, Pennal oedd o. "Pan fyddi di'n bymtheg oed, meddai Ifan Maldwyn, 'dwi isio i ti ddod ata' i i'r dre. A dyna wnes i".

Datblygwyd y llais yn ofalus. Yr oedd dyddiau ysgol bellach yn y gorffennol a threuliai'r baswr, bychan o gorff, ei oriau gwaith ar y ffeum gartref. "Trefnydd Cerdd Sir Feirionnydd bryd hynny oedd John Hughes, brawd Arwel Hughes y BBC. Daeth John Hughes draw i'r ffeum i gael gair gyda'm rhieni. 'Roedd o'n awyddus iawn i mi fynd i goleg cerdd yn Llundain, ac yn cynnig grant o'r Sir i dalu am y cwrs coleg. Ond fe fyddai yna gostau eraill i'm cynnal a'm cadw yn Llundain. A fedrai fy rhieni, er pob ymdrech, ddim fforddio arian mawr felly".

Aros adre ar y ffeum fu raid, a chanolbwyntio ar ganu mewn eisteddfodau. "Daeth y cyfle cyntaf i wneud rhywbeth ohoni mewn *Test Concert* yng Ngharno. 'Roedd Ifan Maldwyn am imi ganu'r 'Erlkönig' (Schubert) dan 25 oed a'r 'Monolog' o Boris Godunov (Mussorgsky) ar yr

Her Unawd". Enillodd y ddwy gystadleuaeth. Ond yn yr Eisteddfod Genedlaethol yn Nolgellau 1949 chafwyd dim cystal hwyl ar y 'Monolog'. Daeth y llwyddiant cenedlaethol cyntaf yn Aberystwyth yn 1952.

Yr unig beth aeth o'i le ynglŷn â'r Brifwyl honno oedd i'r car dorri i lawr ar y ffordd o Bennal, a bu bron iddo fethu â chyrraedd i gystadlu. Enillodd yr unawd Bas, a mynd yn ei flaen i ennill y Rhuban Glas. "Oedd hi'n bwrw'n gythgiam, yn anferth o storm. Ac mi enillais i ar 'Y Dymestl' (R. S. Hughes), cân oedd yn addas i'r diwrnod".

Enillodd y Rhuban Glas am yr eildro, y cyntaf un i ennill y Rhuban Glas ddwywaith, ym Mhwllheli yn 1955. "Mi gefais i bleser arbennig o ddod i'r brig yr ail waith, a phrofi i mi fy hun nad lwc i gyd oedd ennill gwobr mor bwysig. Y mae angen lwc, ac fe fues i'n lwcus yn fy ngyrfa fel canwr ar ôl hynny".

Bu Richard Rees yn aelod o Gwmni Opera Cenedlaethol Cymru am wyth mlynedd yn y cyfnod pan oedd Syr Charles Groves yn arwain. Yr oedd yn brysur hefyd ar lwyfan cyngerdd ac oratorio. Mae'n ei gyfrif ei hun yn ffodus i fod wedi dod i sylw pan oedd "corau capeli gwerth chweil yn bod. 'Roedd yna lawer o gorau gwirioneddol dda bryd hynny yn y De a'r Gogledd a fyddai'n cynnal nosweithiau o ganu'r Meseia, Elias, Requiem (Mozart), Requiem (Verdi), Stabat Mater (Rossini). 'Roedd hi'n anrhydedd i gael canu efo corau o'r fath. A llond y lle o gynulleidfa".

Fe gafodd hefyd gynulleid-faoedd ehangach trwy gyfrwng radio a theledu. "Fe fu Aled Vaughan ac Arwel Hughes yn dda iawn wrtha i". Canodd yn y prif neuaddau i gyd yng Nghymru a Lloegr, a'r daith dramor bellaf oedd honno i Nigeria i ganu i'r Gymdeithas Gymraeg yn Lagos.

Yr oedd Richard Rees ar lwyfan yr Eisteddfod Genedlaethol yn Llanelli yn 1962. Ef, y flwyddyn honno, a ganodd Gân y Cadeirio.

1953

Y RHYL

RICHIE THOMAS, PENMACHNO (TENOR)

Amod y gystadleuaeth o'r flwyddyn hon ymlaen am rai blynyddoedd oedd (a) yr unawd yn ei dosbarth; (b) unrhyw gân glasurol i'w chanu yn Gymraeg.

GANED Richie Thomas yn 1906 ym Mhenmachno. Hanai o deulu'r Dr William Morgan ar ochr ei fam. Bu Richie Thomas yn canu mewn eisteddfodau er pan oedd yn bedair oed, ond yn 1942 y cafodd ei wers gyntaf, yntau'n tynnu at ei ddeugain oed, a hynny ar aelwyd Leila Megane ac Osborne Roberts ym Mhentrefoelas.

Cicio pêl oedd yn cael y flaenoriaeth cyn hyn. Yr oedd yn fewnwr-chwith medrus yn nhîm Betws-y-coed. Byddai ei dad yn erfyn arno roi'r gorau i ddoniau'r traed a rhoi mwy o sylw i'w lais, ond 'doedd dim yn tycio. Bu'n rhaid iddo anafu ei benglin cyn dechrau canu o ddifrif.

Gweithio mewn ffatri wlan ym Mhenmachno wnaeth Richie Thomas er pan adawodd yr ysgol. Dysgodd drin gwlan o gefn y ddafad i'r brethynnau gorffenedig. 'Roedd ganddo gwiltiau cartref, y dotiau pawb atynt, o waith ei law ei hunan yn yr arddangosfa Celf a Chrefft yn Y Rhyl 1953.

Cyn ennill y Rhuban Glas yn Y Rhyl enillodd yr unawd Tenor yn Eisteddfod Genedlaethol Aberpennar 1946 ac wedyn yn Eisteddfod Genedlaethol Dolgellau 1949. Yr oedd hefyd wedi cipio'r Rose Bowl yn Blackpool allan o 250 o gystadleuwyr, ond ei nod oedd Rhuban Glas y Brifwyl. Dyna ddigwyddodd yn 1953. "Hwn oedd arnaf ei eisiau," meddai, a'r fedal ar ei frest wedi'r gystadleuaeth. "Dyna pam y dechreuais i gystadlu. 'Rydw i'n fodlon rwan". Fe ddywedir yr hanes yn llawn yn y llyfr *Hen Rebel Fel Fi* (Gwasg Carreg Gwalch, 1986).

Yn Neuadd y Dref, Y Rhyl, y cynhaliwyd rhagbrawf yr unawd Tenor. "Gwyddwn yn syth fy mod wedi plesio'r ddau feirniad gan iddynt adael i mi ganu'r ddwy gân heb dorri ar fy nhraws". Y ddwy gân oedd 'Duw Israel, pam yr huna Ef' allan o Oratorio 'Samson' (Handel) a 'Cwm

23

Pennant' (Meirion Williams). Ar y llwyfan ar y dydd Iau fe'i dyfarnwyd yn fuddugol, ugain marc o flaen yr un ddaeth yn ail.

Ei hyfforddwr oedd Evan Lewis, a enillodd ar yr un gân allan o 'Samson' yn Eisteddfod Genedlaethol Castell Nedd 1918. Bwriad Richie Thomas oedd canu'r Samson a 'Paradwys y Bardd' (Bradwen Jones) am y Rhuban Glas. Ond ni ystyrid honno yn "gân glasurol" yn ôl amodau'r gystadleuaeth. Felly dewiswyd 'Nosgan Serch' (Schubert), er nad oedd wedi ei chanu ers tro.

"Drwy lwc, cefais fenthyg copi gan Gwynus Ellis o Ddiserth. Wedi cyrraedd yn ôl i'r fferm [lle lletyai] y noson honno, euthum â'r copi gyda mi i'r beudy a chanu'r gân drosodd a throsodd hyd nes yr oeddwn wedi ei chael ar gof a chadw unwaith yn rhagor. Erbyn imi orffen, 'roedd y nos wedi cau am y fferm, a minnau yn fy mhrysurdeb heb ddeall hynny. Codi wedyn am hanner awr wedi chwech. Yn ôl i'r beudy a chael rhyw hanner awr arni unwaith eto i wneud yn siŵr fy mod yn ei chofio, ac i roi ychydig sglein arni".

Am un-ar-ddeg ar y bore Sadwrn yr oedd y gystadleuaeth, a bu bron iddo a chael cam gwag drwy daro'n rhy gynnar ar y 'Samson', pan sylwodd fod un o'r beirniaid – E. T. Davies – wedi rhoi ei ddwylo dros

ei ben. "Yr oedd ef wedi sylweddoli'n sydyn iawn fy mod ym mynd i ddifetha'r cwbl". Daliodd Richie Thomas ei wynt a llwyddo i daro yn y lle iawn! "Gallai'r eiliad bwysig honno," meddai, "fod wedi bod yn ddigon imi golli'r Rhuban Glas". Rhoddodd y gorau i gystadlu ar ôl hyn a chanolbwyntio ar gyngherddau. Bu farw Richie Thomas yn 1988.

1954

YSTRADGYNLAIS

LYNNE RICHARDS, TŶ CROES   (CONTRALTO)

GANED Lynne Richards yn Nhŷ Croes, Rhydaman yn 1919 "ac er fod y teulu'n gerddorol iawn, ni chymerais i lawer o ddiddordeb mewn cerddoriaeth nes mynd i'r coleg yn Abertawe".

Cyfnod yr Ail Ryfel Byd oedd hwn, a byddai pentrefi'n cynnal Cyngerdd Croeso i bob aelod o'r lluoedd arfog a ddeuai adref yn eu tro. Pobl leol a gymerai ran yn y cyngherddau, "ac yn un o'r rhain, yn 1943, y dechreuais i ganu a hynny yn ysgoldy Gwernogle, ger Brechfa". Wedi cael blas arni yno byddai'n canu mewn cyngherddau ac eisteddfodau lleol ar hyd Sir Gaerfyrddin a Sir Aberteifi. Ei hyfforddwr oedd Gwilym R. Jones, Rhydaman, ac aeth Lynne ar gwrs rhan amser i Goleg Cerdd a Drama, Caerdydd.

"Dechreuais gystadlu yn yr Eisteddfod Genedlaethol yng Nghaerffili 1950 a chael llwyfan. Yn 1952 enillais ar yr unawd Contralto yn Eisteddfod Ryngwladol Llangollen. Yn y saith mlynedd y bûm yn cystadlu cefais lwyddiant mewn sawl Gŵyl Gerddorol, a chofiaf ennill Tlws y Delyn Arian, y fedal aur a'r brif wobr yng Ngŵyl Gerddorol yr Arglwydd Mostyn yn Llandudno yn 1951. O ganlyniad i hyn cefais wahoddiad i berfformio'r 'Meseia' gyda David Lloyd, Jennifer Vivian a Roderick Jones yn Llandudno".

Enillodd fedal aur hefyd yn eisteddfod Lewis' yn Lerpwl cyn troi ei golygon eto at yr Eisteddfod Genedlaethol. Ennill yr unawd Contralto yn Y Rhyl yn 1953 a gwneud yr un gamp y flwyddyn ddilynol yn Ystradgynlais gan fynd yn ei blaen i ennill y Rhuban Glas yno.

"'Roedd rhagbrawf yr unawd Contralto yn y Babell Orlanw ar y maes a hwnnw'n fwdlyd ar ôl y glaw trwm. Yn ymddangos ar y llwyfan gyda mi yr oedd Eileen Thomas, Lerpwl, ac Americanes o Efrog Newydd. Merch oedd hi a chanddi gysylltiad teuluol gyda Dr Charles Dawes, y cerddor o'r Amerig. Byddai rhagbrofion yr unawdau ganol yr wythnos; y prawf terfynol ar ddydd Iau a'r Rhuban Glas ar ddydd Gwener".

Beirniaid y Rhuban Glas yn Ystradgynlais oedd Dr Alexander Gibson (o'r Alban), Dr Matthews Williams a'r Tenor enwog Parry Jones. "Yr unawdau a genais i oedd 'O! Rodd Alaethus' allan o Don Carlos (Verdi) a 'Cwynfan y Coed' (Schubert). Er nad oedd y cyhoeddusrwydd-undydd sydd ar gael heddiw ar radio a theledu yn bod bryd hynny byddai cantorion yn cael cyfle i ganu ar hyd y wlad, a phobl yn dod i'w hadnabod. Fe ddês ar draws Rhaglen y Dydd o Eisteddfod Ystradgynlais yn ddiweddar ac ynddi 'roedd amlen fawr yn cynnwys cyfarchion, casgliad o frys-negeseuon a chardiau post yn fy llongyfarch – a llond gwlad o atgofion.

Bu ennill y Rhuban Glas yn hwb mawr i'm gyrfa. Dyma 'Oes Aur yr Oratorio' a daeth y cyfle imi ganu dros Gymru a Lloegr gyda chantorion enwog Llundain. 'Rwy'n cofio canu gydag Isabel Baillie yng Nghapel Als, Llanelli a chanu'r 'Meseia' yn Eisteddfod Genedlaethol Aberdâr [1956] gyda Cherddorfa Simffoni Llundain o dan arweiniad Meredith Davies. Ar ôl ennill y Rhuban Glas fe roddais y gorau i gystadlu a dechrau beirniadu".

26

Wrth ei gwaith-bob-dydd athrawes ysgol oedd Lynne Richards. Bu'n dysgu mewn ysgolion yng Nghaerdydd ac yn Sir Gaerfyrddin hyd ei hymddeoliad. Y llynedd, 1999, fe ddathlodd ei phenblwydd yn bedwarugain oed, a hynny yn ei chartref yn Nhŷ Croes.

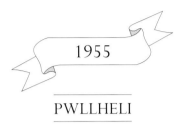

PWLLHELI

RICHARD HENRY REES, PENNAL (BAS)

[GWELER TUD. 21]

ABERDÂR

ERIC MORTIMORE, CROESOSWALLT (BAS)

Eric Harry Mortimore oedd ei enw llawn. Ef, hyd yma, yw'r unig Sais i ennill y Rhuban Glas – "a rare victory for England in an all Welsh week". Fe'i ganed ar 2 Tachwedd, 1918, yn Rugby wedi i'w rieni symud yno o Dartmouth y Nyfnaint. Bu ei daid yn arweinydd Band Coleg Morwrol Dartmouth, a'i fam yn bianydd medrus.

Symudodd y teulu a'r pum plentyn i fyw yn y wlad wedi i'w tad ddechrau dioddef o'r dicáu ond bu farw pan oedd Eric Mortimore yn ddeng mlwydd. Deuddeg oed oedd o pan ganodd 'Clyw fy Ngweddi'

(Mendelssohn) ym mhresenoldeb Dug a Duges Efrog [y Brenin Sior VI a'r Frenhines Elizabeth wedyn]. Wedi mynychu Ysgol Ramadeg Lawrence Sherriff yn Rugby fe ddilynodd Eric ei ddau frawd hynaf i'r Llynges.

Yn 1935 hwyliodd mewn llong-ynnau ar afon Yangtze ac yn ystod yr Ail Ryfel Byd gwelodd erchyllterau'r rhyfel yn Rwsia, Malta a Chreta. Bu bron iddo gael ei gymryd yn garcharor yng Nghreta ond llwyddodd i ddianc tros y mynyddoedd. Mewn *taverna* wag fe ddaeth ef a'i gyfaill o hyd i gasgen llawn o win, ac wedi drachtio'n helaeth fe fentrodd y ddau mewn cwch rhwyfo i groesi'r môr i Alexandria. Yn ffodus i'r ddau fe'u hachubwyd, ar ôl dyddiau o rwyfo, gan long o Awstralia. Aed â hwy i Alexandria yn yr Aifft a, thra'n dod ato'i hun o'i glwyfau, cafodd wersi canu gan ddau ganwr opera – un yn Eidalwr a'r llall yn Almaenwr.

Ar ddiwedd y rhyfel cafodd waith fel Swyddog Cyfathrebu yng ngorsaf radio Criggion yn Sir Drefaldwyn, gan fyw yng Nghroesoswallt. Dyma'r adeg y dechreuodd ddatblygu'r llais a chystadlu yn Llangollen, Southport, Blackpool, Wallasey, Wolverhampton ac yn Eisteddfod Genedlaethol Aberdâr 1956

Ei gyfeilydd oedd Win Roberts-Steele o Rhiwabon. "Ni fedr Mr Mortimore siarad Cymraeg," meddai gohebydd *Y Cymro*, "ond ni chaiff drafferth i ddysgu geiriau Cymraeg ar dafod leferydd". Bu canu efo Côr Cymysg Dyffryn Ceiriog o help iddo yn y cyfeiriad hwnnw. Cyn dod i gystadlu yn Aberdâr yr oedd eisoes wedi ennill yr unawd Bariton a'r unawd Bas yn Llangollen yn 1952 ac 1954. Wedi iddo ennill y Rhuban Glas yn 1956 'roedd galw mawr am ei wasanaeth yng Nghymru a thu hwnt. Darlledai ddatganiadau ar y radio o Birmingham a chafodd

glyweliad ar gyfer Covent Garden ond ni allai fforddio'r cyflog o ddecpunt yr wythnos.

Torrodd ei briodas gyntaf â Jean, ac aeth Eric Mortimore i Lundain. Yno cyfarfu â Brenda Barker oedd yn canu yn Drury Lane. Priododd â Brenda ond ni allai oddef byw yn Llundain. Cafodd waith yng ngorsaf radio Anthorn ar y Solway Firth. Torrodd ei ail briodas hefyd a chyfarfu â'i drydedd gwraig, Audrey, a'r un a'i goroesodd, yn 1974 ac yntau'n 55 mlwydd oed. Parhaodd i ganu yn ardal Caerliwelydd, Whitehaven, Workington ac Illverston am rai blynyddoedd ac fe wisgodd Ruban Glas eisteddfod Aberdâr am y tro olaf pan ganodd mewn cyngerdd yng Nghaerliwelydd gyda Band y Royal Marines.

Ei ffefrynnau cerddorol oedd caneuon 'lieder' fel 'Der Dopelgänger' (Schubert) ac 'Erlkönig', y faled gan Goethe a osodwyd i gerddoriaeth gan Schubert. Yr oedd galw mawr arno hefyd ym myd yr Oratorio, a gwnaeth lawer o gyngherddau elusen i achosion da.

Symudodd ef a'i wraig, Audrey, i ardal Coventry yn 1984. Yr oedd hefyd yn ŵr amlwg ym myd radio amatur gan dderbyn gwahoddiad i Moscow gan gadeirydd Cymdeithas Radio Amatur USSR. Bu farw Eric Mortimore yn ei gwsg ar 21 Chwefror, 1999.

1957

LLANGEFNI

ELWYN JONES, LLANAELHAEARN   (BARITON)

GANED Elwyn Jones yn Llanaelhaearn, Sir Gaernarfon yn 1927. Wedi dyddiau ysgol dechreuodd weithio yn ffatri laeth Rhydygwystl. Yna penderfynodd ddysgu crefft a mynd yn brentis saer coed, gan weithio'n gyntaf i adeiladydd cychod yng Ngharreg yr Imbill, Pwllheli. Erbyn dechrau'r pumdegau yr oedd yn saer coed yn Nhrefor yn gwneud gwaith cynnal-a-chadw i gwmni Welsh Granite. "Gweithio yma ac acw fu hi wedyn; yn ôl fel saer coed yn Rhydygwystl, ac wedi cyfnod yn Astons, Pwllheli fe gefais i waith efo hen Gyngor Sir Gwynedd gan ddechrau fel saer a gorffen fel Arolygydd y Priffyrdd".

Pan oedd yn Nhrefor dechreuodd ganu rownd y Gylchdaith mewn pedwarawd, "a'r llwyfan cyntaf oedd capel Maes-y-neuadd". Yna, mentrodd arni fel unawdydd "mewn cystadleuaeth i rai heb ennill £1 o'r blaen". Ei hoff gân bryd hynny oedd 'Craig yr Oesoedd' (T. Llywelyn Jones), ac felly y cyferchid ef mewn eisteddfodau "Dow! Mae Craig yr Oesoedd 'di cyrraedd". Yn y cyfnod hwn hefyd fe ganai yng Nghôr Glannau Erch dan arweiniad Tal Gruffydd. Y gŵr hwnnw a ofynnodd i Powell Edwards ei gymryd dan ei adain.

Yn 1947 yr aeth am y tro cyntaf i'r Brifysgol ym Mangor i gyfarfod â'i hyfforddwr "a cholli hanner-diwrnod o waith er mwyn cael awr o hyfforddiant. Ond, gyda Miss Sergeant, ac wedyn Mrs Teale, yn cyfeilio byddwn yn mwynhau pob munud".

Rhoddodd gynnig arni dan 25 oed yn Eisteddfod Genedlaethol Dolgellau 1949 ar 'Ora Pro Nobis' (Meirion Williams) ond fe graciodd

Leila Megane yn ei arwisgo â'r Rhuban Glas dan 25 oed.

y llais. Wedi iddo ennill yn Lewis', Lerpwl a phrawf gyngherddau Pontrhydfendigaid a Llanbedr Pont Steffan fe fentrodd eilwaith i'r Eisteddfod Genedlaethol ac ennill Gwobr Goffa Osborne Roberts yn Llanrwst 1951. Aeth yn ei flaen wedyn i ennill Gwobr Goffa David Ellis yn Llangefni 1957, y cyntaf un i ennill y ddwy gystadleuaeth.

Yn ôl adroddiad *Y Cymro* "Un o fuddugoliaethau mwyaf poblogaidd y Brifwyl yn Llangefni oedd eiddo'r Bariton ifanc Elwyn Jones. Cafodd gymeradwyaeth fyddarol pan ddyfarnwyd ef yn enillydd y Rhuban Glas". Yn ei adran, fe enillodd yr unawd Bariton yn canu 'Angladd y Marchog' (D. Vaughan Thomas) a chân newydd W. Matthews Williams 'Sion y Glyn'. Canodd 'Angladd y Marchog' eto am y Rhuban Glas, ac i'w hunanddewisiad fe ddewisodd ganu 'Yr Ysbryd' (Schubert) gan ddilyn cyngor Mr Powell Edwards "Dewis gyfansoddwr cydnabyddedig, a dewis ddarn byr lle nad oes ormod a sgôp i'r beirniaid!". Awgrymodd y Dr Haydn Morris iddo droi'n broffesiynol, "ond 'doedd gen i ddim digon o bres i gychwyn arni. 'Roedd hi'n well gen i ganu i fwynhau na chanu i ennill fy nghrystyn, ac fe wnes i fwynhau".

Cafodd wahoddiadau i gyngherddau lu ar ôl ennill yn Llangefni, a chanai ddeuawdau efo'i frawd, Arthur [a enillodd yr unawd Tenor dan 25 oed yn Aberdâr 1956]. Erbyn hyn, yr oedd Gwilym Gwalchmai wedi cymryd Elwyn dan ei ofal. "'Roeddwn i'n ffrindiau mawr efo fo". Er 1958 mae Elwyn Jones yn byw yn Llanbedrog ac mae'n cofio'n arbennig am gyngherddau yn Birmingham, yn Neuadd Ffilarmonig, Lerpwl ac am gael ei dderbyn i Orsedd y Beirdd – i'r Urdd Ofydd yng Nglyn Ebwy 1958, a'i ddyrchafu i'r wisg wen yng Nghaerdydd 1978 dan yr enw barddol 'Elwyn o'r Eifl'.

> Elwyn, ei beraidd alwad – a seiniodd
> Nes swyno pob beirniad;
> Ac enwir ei ddatganiad:
> Taran y wledd, teyrn y wlad.
>
> (R. Goodman Jones, Mynytho)

GLYNEBWY

HARDING JENKINS, LLWYNHENDY (BARITON)

GANED Thomas Harding Jenkins, yr ieuengaf o wyth o blant, yn 1903 yn Llwynhendy. Ei gyfnither, Megan, oedd enillydd cyntaf y Rhuban Glas [gweler Bangor 1943].

Wedi gadael ysgol yn bedair-ar-ddeg oed bu'n gweithio am flynyddoedd yn y Llanelly Foundry. Dechreuodd ganu trwy gystadlu mewn eisteddfodau lleol pan oedd tua ugain oed, ac yn ôl ei ferch Enid [Griffiths, Côr-feistres Côr yr Eisteddfod Genedlaethol, Môn 1999] "y cymdogion oedd y gynulleidfa bryd hyn". Mae hi'n cofio bod yn bresennol, yn ferch ifanc iawn, pan enillodd ei thad gyntaf yn yr Eisteddfod Genedlaethol yn Ninbych 1939.

Ar ôl Dinbych enillodd Harding Jenkins ei fywoliaeth am gyfnod trwy ganu efo ENSA (ac yn hynny o beth gael y blaen ar ei gyfnither, Megan). Canu oratorio oedd ei gryfder, a gwnaeth hynny yng Nghymru, yn Iwerddon ac yn Lloegr gydag artistiaid fel Kathleen Ferrier, David Lloyd, Ceinwen Rowlands, Haydn Adams a James Johnson. Canodd Harding Jenkins ar y radio o Neuadd y Brangwyn, Abertawe, yn 1946 gyda Gracie Fields, ac ef oedd y cyntaf i ganu'n gyhoeddus y gân boblogaidd 'If I can help somebody'.

Tua diwedd y pedwardegau aeth yn glerc ar y bont-dafol i waith dur Trostre ac yno y bu nes ymddeol yn 1968. Cyn priodi Elsie May Jones, yn 1935 (a'r gweinidog y Parchedig [Brifathro yn ddiweddarach] Tom Ellis Jones yn gweinyddu), yr oedd wedi cael cynnig i fynd i'r Coleg Brenhinol yn Llundain. "Ond cyfle a aeth i golli oedd hwnnw", meddai Enid, "a chefais i erioed esboniad pam y bu felly".

Trodd Harding Jenkins at gystadlu eto yn Eisteddfod Genedlaethol Aberystwyth 1952, ond yng Nglyn Ebwy 1958 y daeth ei awr fawr ac yntau, erbyn hynny, yn 55 oed. Cael a chael fu hi arno i gyrraedd rhagbrawf yr unawd Bariton gan iddo gael pynctiar yn olwyn flaen y car ar ei ffordd i'r eisteddfod. Yn ffodus, daeth teulu o Lwynhendy heibio "a'r pynctiar oedd yr unig beth fflat a ddigwyddodd i dad yn yr eisteddfod honno!"

Ar lwyfan y Rhuban Glas fe ganodd 'Yr Iôr sydd ryfeddol' o Jiwdas Macabeus (Handel) a 'Ffarwel, ffarwel f'anwylyd' o Simon Boccanegra (Verdi). Wedi ennill ar y bore Sadwrn fe anfonodd deligram i'w wraig gyda'r neges foel 'Won Blue Ribband. Harding'. "'Doedd dim dawn actio gyda nhad. Fe ganodd lawer ar y radio o Park Place, Caerdydd gyda Mansel Thomas yn cynhyrchu ac fe chwaraeodd ran Secareia yn Nabucco (Verdi) pan wnaed yr opera fel oratorio. Yn y De, fe oedd Elias pan berfformid gwaith Mendelssohn".

Yr oedd Harding Jenkins yn Fedyddiwr o hil gerdd, ac yn arweinydd y gân a diacon yng nghapel Soar, Llwynhendy o 1951 ymlaen. Ef hefyd oedd arweinydd Côr Capel Soar. Ei wraig oedd organyddes y capel a'r Côr. "Byddai'n arwain ymarfer y Côr Plant am 5.30 bnawn Sul a'r côr mawr ar ôl yr oedfa". Yn Eisteddfod Genedlaethol Llanelli 1962 daeth y côr mawr hwnnw'n ail yng nghystadleuaeth y Brif Gorawl a daeth Côr Capel Soar yn gyntaf yn y gystadleuaeth i gorau capel. Buont yn canu wedyn yn Neuadd Albert, Llundain yn y cyngerdd Gŵyl Ddewi.

Yn ardal Llanelli 'roedd Harding Jenkins, a'r corau, yn codi llawer o arian at achosion da. "Adeg y Nadolig fe fyddai'n canu'n gyson yn y capeli a'r neuaddau lleol ac yn codi llawer o arian trwy ganu yn Ysbyty Llanelli. Yn y fan honno fe fyddai hefyd yn codi calon y cleifion ar drothwy Gŵyl y Geni. Er bod nhad a mam, y ddau yn dod o deuluoedd mawr, unig blentyn oeddwn i, a chefais bob cefnogaeth ganddynt ym myd cerddoriaeth". Bu farw Harding Jenkins yn 1970.

Enid Griffiths yn edmygu'r fedal.

1959

CAERNARFON

STUART BURROWS, PONTYPRIDD (TENOR)

E R mai o Gilfynydd y daw Stuart Burrows fel 'Mr J. Stuart
Burroughs, Pontypridd' y cofnodir ei enw yn adroddiad Llys yr
Eisteddfod Genedlaethol 1960. Yn *Who's Who 2000* dan BURROWS
(James) Stuart fe'i disgrifir fel 'canwr opera Prydeinig' a addysgwyd yng
Ngholeg y Drindod, Caerfyrddin ac fel un a fu'n athro ysgol nes troi'n
broffesiynol yn 1967 pan ganodd yn Nhŷ Opera Brenhinol, Covent
Garden am y tro cyntaf.

Dyma'n prif Denor telynegol sydd wedi canu yn nhai opera enwocaf
y byd gan gynnwys San Francisco, Vienna, Paris, Buenos Aires (Théâtre
Cologne), Brwsel (Théâtre de la Monnaie) yn ogystal â Covent Garden
a'r Metropolitan Opera, Efrog Newydd. Fe restrir yr operáu canlynol
iddo ganu ynddynt yn Covent Garden: The Magic Flute, Don Giovanni,
Manon Lescaut, Eugene Onegin,
Faust, Madam Butterfly, Idomeneo,
Clemenza di Tito, Maria Staurda,
Cosi fan tutti, Don Pasquale a La
Sonambula. Fel canwr gwâdd
teithiodd i'r Dwyrain Pell a Siapan
gyda chwmni'r Opera Brenhinol ac
fe'i gwahoddwyd i ganu Tamino ar
ymweliad y cwmni â'r Ŵyl
Olympaidd yn Los Angeles 1984.

At yr uchod fe ellir ychwanegu
L'Elisir D'Amore yn San Francisco,
Die Entfurhrung ym Mharis a Tales
of Hoffman ym Muenos Aires. Am
ddeuddeg tymor yn olynol fe
ganodd y prif rannau i Denor

gyda'r Metropolitan Opera, Efrog Newydd. Canodd gyntaf yn La Scala, Milan yn 1978 gan ganu'r brif ran yn La Damnation de Faust (Berlioz). Dylid cofnodi'n arbennig ei berfformiadau yn y Brahmsaal yn Vienna, a'r Salzburg Summer Festivals.

Ennill y Rhuban Glas yng Nghaernarfon oedd sail y llwyddiant eithriadol hwn.

"'Dwi'n cofio'r wythnos honno'n dda. 'Roedd hi'n dywydd poeth iawn a minnau'n dioddef o ddôs gwael o'r ffliw. Y Parchedig W. G. Thomas, Ferndale, yn ei Forris Minor (car a'm cludodd i ugeiniau o gyngherddau yn y gogledd wedyn) a'm dreifiodd i Gaernarfon. Bach iawn oedd y gobaith y gallwn ganu. Ond yr oedd gan fy lletywyr, Mr a Mrs Jones yn Ffordd y Coleg, Bangor, syniadau gwahanol. Cefais fy ngorchymyn i'm gwely ar unwaith a daeth Mr Jones a 'moddion' i mi i'w yfed. 'Roedd e'n bragu gwin sgawen yn yr iard gefn, a dyna oedd y moddion gwyrthiol a'm galluogodd i gystadlu yng Nghaernarfon.

Fe genais 'Paradwys y Bardd' (Bradwen Jones) a 'Dos at fy annwyl gariad' [Il mio tesoro] o Don Giovanni (Mozart). 'Chydig feddyliais i y diwrnod hwnnw y byddwn yn canu'r aria wedyn yn y Nhŷ Opera Covent Garden, yn y Vienna State Opera a'r Metropolitan Opera ac ati. Ac fe genais i 'Paradwys y Bardd' hefyd mewn datganiad cerddorol yn Vienna.

Beirniaid y Rhuban Glas yr wythnos honno oedd Mansel Thomas o'r BBC a David Lloyd. Fe fu'r ddau yn garedig iawn, ac yn galonogol yn eu sylwadau. Er gwaetha'r ffliw, bu'r amgylchiad yn un arbennig iawn. Ac wrth edrych yn ôl ar fy ngyrfa, ac fe fûm i'n ddigon ffodus i gael gyrfa gofiadwy a phrofiadau amrywiol ar brif lwyfannau'r byd, mae'n dda gen i allu cydnabod mae'r man cychwyn gwirioneddol oedd ar lwyfan yr Eisteddfod Genedlaethol yng Nghaernarfon pan enillais i'r Rhuban Glas. 'Rwy'n dweud hynny gyda balchder".

Cyflwynwyd y Rhuban Glas i Stuart Burrows yng Nghaernarfon gan frawd David Ellis, sef y Parchedig Humphrey Ellis, ac fe ychwanegodd hynny at arbenigrwydd yr achlysur.

1960

PEGGY WILLIAMS, TRIMSARAN (CONTRALTO)

Amodau: (a) yr unawd yn ei dosbarth, (b) dewis yr ymgeisydd.

GANED Peggy Williams ym Mhen-bre, Sir Gaerfyrddin, yn 1927. "Nid oedd tylwyth mam yn gerddorol o gwbl. Yr oedd yna rinweddau eraill yn perthyn iddyn nhw wrth gwrs. Ond oe'nhw ddim yn gallu canu!" Deuai'r ddawn gerddorol ar ochr ei thad, William John Williams o Drimsaran. "Ac fe enillodd 'nhad ar yr unawd Bariton yn yr Eisteddfod Genedlaethol". Byddai'r tad hefyd yn codi canu yng nghapel Sardis, Trimsaran. Flynyddoedd yn ddiweddarach, bu Peggy, hithau, yn arweinydd y gân yn yr un capel â'i thad.

Cafodd ei haddysg yn Ysgol Gynradd Trimsaran, ac yn Ysgol Ramadeg y Gwendraeth [ysgol enwog fel magwrfa i rai o gewri tîm rygbi Cymru tros y blynyddoedd]. Gadawodd yr ysgol, a mynd i weithio i Swyddfa'r Post yn Llanelli.

Yn ddiweddarach daeth y cyfle i brynu Swyddfa'r Post, a oedd yn ogystal yn siop y pentref, yn Nhrimsaran. Golygodd hynny, yn ei dro, fod y gofal am y siop yn ei gwneud hi'n anodd i gerdded steddfodau mor fynych ag y dymunai'r Bostfeistres!

Gydag anogaeth ei thad yr oedd hi wedi dechrau cael blas ar gystadlu yn gynnar. "'Rwy'n cofio ennill sawl gwaith ar yr unawd dan 8 oed mewn eisteddfodau lleol". Ac fe gafodd ei phrofiad cyntaf o ennill ar lwyfan cenedlaethol yn Eisteddfod Genedlaethol yr Urdd 1937 yng Ngwauncaegurwen.

Bu'n llwyddiannus "yn nyddiau'r Champion Solos", gan ennill fwy nag unwaith yng Ngŵyl Fawr Aberteifi ac yn Llanbedr Pont Steffan. "'Roeddwn i'n cystadlu hefyd pan gynhaliwyd Eisteddfod David James Pantyfedwen am y tro cyntaf; dyddiau'r gwobrau mawr oedd y dyddiau hynny. Do! Fe enillais i £60 ar yr Her Unawd".

Oherwydd ansawdd ei llais byddai'n cystadlu naill ai fel Contralto neu fel Mezzo-Soprano; dibynnai hynny ar y dewis o ddarnau gosod. Fe enillodd Peggy Williams ddeg gwobr gyntaf yn yr Eisteddfod Genedlaethol gan ddechrau ym Mhwllheli yn 1955. Y mae hi yn un o'r pump, hyd yma, sydd wedi ennill y Rhuban Glas ar ddau achlysur – Caerdydd 1960 ac Abertawe 1964.

Ei hatgof am ennill y Rhuban Glas yng Nghaerdydd yw na fu hi erioed mor gynhyrfus. A bu bron iddi fethu â chyrraedd y Brifddinas mewn pryd "oherwydd fod pethe'n lletchwith gydag amser y tren". Ei chwmni ar y daith oedd Beth [Elizabeth, y ferch, sydd yn enillydd cenedlaethol ar ganu gwerin], "ac mae mab Beth, Robert Amon, yn canu gyda Chwmni Carl Rosa".

Chwaer i Peggy yw Anita Williams, a enillodd y Rhuban Glas dan 25 oed. "Fe enillodd y ddwy ohono ni ar y ddeuawd yn Eisteddfod Genedlaethol Abertawe 1964. Eisteddfod y Williamsiaid oedd honno [gweler Eisteddfod y Jonesiaid 1966] gyda Bryn Williams yn ennill y Gadair, Rhydwen Williams yn ennill y Goron, Margaret Williams [Brynsiencyn] yn ennill Gwobr Goffa Osborne Roberts, a finne'n ennill y Rhuban Glas am yr eildro".

Mae'r ddwy chwaer yn aelodau o Orsedd y Beirdd, y naill yn 'Pegi Trimsaran' a'r llall yn 'Anita Trimsaran'. Peggy yw'r un a arhosodd yn yr ardal i fyw, a hi yw trysorydd y pwyllgor lleol sy'n codi arian at Brifwyl 2000. Tros y blynyddoedd bu'n hyfforddi plant a phobl ieuanc i ganu.

Pan oedd hithau yn ei hanterth, ac yn arbennig felly ar ôl ymuno â'r *elite* sydd wedi ennill y Rhuban Glas ddwywaith, bu'n brysur iawn yn canu mewn cyngherddau (gan gynnwys Neuadd Albert, Llundain) ac yn fwy fyth felly mewn gweithiau oratorio. Darlledodd yn gyson ar radio ac ar deledu. Ond ni bydd yn ddibynnol ar y cyfryngau i fwynhau Eisteddfod Genedlaethol 2000. "Fe fydda' i yno, ac yn mwynhau".

37

1961

RHOSLLANNERCHRUGOG

EVAN LLOYD, LLANWRDA (BAS)

E R iddo gael ei eni yn Llundain, yn 1932, fyddai neb yn galw Evan Lloyd yn Sais; ac er mai Llanwrda a enwir yn y cofnod swyddogol fyddai neb am wadu nad Cardi yw Evan o ran ei dras a'i anian. Yr oedd ei rieni wedi symud i Lundain o Fydroilyn yng Ngheredigion gan fynd i'r ddinas fawr i werthu llaeth. Pedair oed oedd Evan pan symudodd y teulu yn ôl i'w cynefin, i Ddihewid, i ffermio.

Am bymtheg mlynedd bu Evan Lloyd yn byw yng Nghrug-y-bar yn Sir Gaerfyrddin. Yno yr oedd yn ffermio pan enillodd y Rhuban Glas yn y Rhos 1961. Symudodd yn ddiweddarach i fyd gwerthu a thrin ceir yn Aberaeron, ac yno mae'n byw heddiw [gwanwyn 2000].

Yr oedd ei dad, Roscoe Lloyd, yn ganwr llwyddiannus mewn eisteddfodau lleol, ac fe enillodd ei lais bas cyfoethog iddo ddwy fedal aur werthfawr, a roddwyd yn ddiweddarach yn rhoddion i'w ddwy ferch-yng-nghyfraith. Dechreuodd Evan Lloyd ganu a chystadlu'n ifanc fel soprano a chafodd gyfle, nas derbyniwyd, i ymuno â Chôr Eglwys Gadeiriol Henffordd. Fe'i dewiswyd yn y cyfnod hwnnw hefyd gan Mai Jones [cynhyrchydd radio *Welsh Rarebit*] i ddarlledu, ond digwyddodd hynny ar yr union adeg yr oedd ei lais yn torri.

Dywedodd y gohebydd Lynn Owen Rees amdano yn y *Cambrian News*: "Mae'n canu'n naturiol, fel y dylai plentyn ganu. Dylai ddod yn ganwr pwysig ryw ddydd". Ac yr oedd y gohebydd yn llygad ei le.

Wedi gwneud ei farc ar y llwyfan lleol, fe fentrodd i'r Eisteddfod Genedlaethol yn Aberdâr 1956 gan ennill yn ei adran dan 25 oed a dod yn ail ar yr unawd Bas agored. Enillodd hefyd ar y ddeuawd gyda Huw Rees, Treforus.

Ennill eto ar yr unawd Bas yng Nghaernarfon 1959, Caerdydd 1960 a'r Rhos 1961 gan fynd ymlaen yn yr eisteddfod honno i ennill y Rhuban Glas. Fe'i disgrifiwyd yn y wasg fel y ffermwr ifanc o Sir

Gaerfyrddin, sydd a llais mor felodaidd â soddgrwth, ac un a frysiodd i'r Rhos ac a frysiodd adref i gorlannu'r defaid ac i odro'r gwartheg. Afraid dweud mai papurau Llundain oedd yn 'sgrifennu fel yna!

Meddai Jacob Davies amdano ar lawes ei record i gwmni'r Dryw: "Gwladwr o Gymro yw Evan Lloyd, ac er ei fod wedi ei eni yn Llundain ac yn cadw garej yn Aberaeron ar hyn o bryd, fel ei deidiau o'i flaen mae ganddo fwy o barch i'r merlyn a'r cob nag i feirch y mŵg a'r bedol rwber.

Gŵr breiniol ydyw a chanddo fôr o lais a môr o anwyldeb sy'n ei wneud yn berson agos hyd yn oed ar record".

Unig gof Evan am ennill yn y Rhos, ar wahan i'r anrhydedd o ennill gwobr mor bwysig, yw'r cof am y ddynes oedd yn gwthio'n agos ato "yn y cefen er mwyn cael ei llun yn y papur!" Yn y Rhos hefyd y cyfarfu gyntaf â Colin Jones, y cyfeilydd a'r cerddor, a dyna ddechrau partneriaeth agos rhwng y canwr â Chôr Meibion Rhosllannerchrugog. Canodd gyda hwy droeon yn y gogledd. Daeth cyfle wedyn i grwydro'r byd – Hong Kong ar y *QE2* (lle cyfarfu â Joe Loss a'i gerddorfa), Canada, America, Nigeria, yr Almaen a mordeithiau ar yr *Orianna*.

Fel eraill o'i flaen, fe'i derbyniwyd yntau i gorws Covent Garden "ond 'roedd yn well gen i ganu pan oeddwn i mo'yn". Er iddo yntau fel ei dad a'i frawd iau, Ifor, (a enillodd Wobr Osborne Roberts yn y Barri 1968), arddangos cobiau a cheffylau y mae Evan Lloyd o'r farn "nad yw llwyfan yr eisteddfod mor danllyd â'r sioeau. Yn yr eisteddfod mae pawb eisiau ennill ond yn barod i golli".

'Terfynau Dyn' (Schubert) oedd un o'r caneuon a enillodd iddo'r Rhuban Glas. "Dyna'r pinacl i fi". Daliodd i ganu hyd 1994, a chydnabod y terfynau!

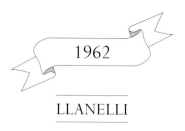

LLANELLI

MALDWYN PARRY, ABERMAW (BARITON)

GANED Maldwyn Parry ym Mhen-y-groes, Dyffryn Nantlle, 6 Awst, 1929 ac fe'i haddysgwyd yn yr ysgolion lleol. Wedi gadael ysgol fe aeth i weithio yn labordy ICI yn Birmingham. Yn y cyfnod, cymharol fyr, yn Birmingham fe enillodd yr her unawd yn Eisteddfod y Canoldir.

Newidiodd gyfeiriad wedyn a mynd yn fyfyriwr i Goleg y Drindod, Caerfyrddin ac wedi ei hyfforddi'n athro aeth i ddysgu i Ysgol Gynradd y Bermo, Meirionnydd. Byddai'n canu mewn cyngherddau lleol "yn hynod amrwd, efo'r copi ar y bwrdd a'm pen i lawr". Dyma'r adeg y cymerodd Elin Southall, organyddes yn Eglwys St. Ioan, y Bermo ddiddordeb ynddo. Yn helpu hefyd yr oedd athro cerdd Ysgol Uwchradd Ardudwy, Harlech, sef Rhyddid Williams. Daeth y ddau athro yn ffrindiau mawr, ac er nad oedd gan Maldwyn Parry lawer o brofiad o gystadlu penderfynwyd rhoi cynnig ar yr unawd Bariton yn Eisteddfod Genedlaethol Llanelli 1962.

Y darnau prawf oedd 'Cadfridog Angau' (Mussorgsky) a 'Cân Utgorn, Cân' (W. Bradwen Jones). Am fod y darn prawf yn uchel i faritoniaid fe'i dysgodd yng nghyweirnod y bas. Ond wedi cyrraedd Llanelli fe ddeallwyd na chaniateid newid cyweirnod a bu'n rhaid ail-ddysgu'r gân honno gyweirnod a hanner yn uwch!

Aeth Rhyddid Williams gydag ef i'r rhagbrawf, a'i gadw'n ôl hyd yr olaf i ganu. A daeth yr olaf yn flaenaf, a hynny ar ei gynnig cyntaf. Heb yn wybod iddo yr oedd ei wraig wedi rhoi copi o 'Digon yw Hyn' o Elias (Mendelssohn) yn ei gesyn, ond y copi Saesneg oedd o. Digwyddodd daro ar Elwyn Hughes, y bariton o Ben-sarn, ger Amlwch, [enillydd y Bariton yng Nghaernarfon 1959] hyd y maes a bu Elwyn yn ei atgoffa o'r geiriau Cymraeg. Dyma'r hunan-ddewisiad ganddo i gystadleuaeth y Rhuban Glas.

Gwersylla yn un o'r ysgolion lleol yr oedd y teulu, ac erbyn y nos

Wener yr oedd Maldwyn Parry dan annwyd. Yn nhŷ Rhyddid Williams, lle'r aeth i ymarfer y noson honno, cafodd ddracht o win 'sgawen [gweler hefyd hanes Stuart Burrows 1959 am brofiad tebyg] a thair asprin. Wedi cyrraedd yn ôl i'w wely, ar lawr yr ysgol leol, cysgodd yn drwm ac enillodd y Rhuban Glas drannoeth gan drechu Sybil Bevan (Soprano), Peggy Williams (Mezzo), Ceinwen Edwards (Contralto), Emlyn Jones (Tenor) a Cyril Edwards (Bas).

Bu'n cystadlu eto yn yr Eisteddfod Genedlaethol ym Mangor 1971 ("dim lwc"), Caerfyrddin 1974 ("ennill y Bas"), Wrecsam 1977 ("anghofio geiriau"), Caernarfon 1979 ("anghofio eto") ac yna Llanbedr Pont Steffan 1984 lle'r enillodd yr unawd Bas ac ennill y Rhuban Glas am yr eildro. Efelychodd gamp ei gyfyrder, Richard Rees, drwy ennill y Rhuban Glas ddwywaith, a hynny wedi bwlch o 22 mlynedd.

Maldwyn yn cael ei longyfarch gan W. R. Evans.

41

Erbyn hyn yr oedd Maldwyn Parry yn athro yn Ysgol Uwchradd Dyffryn Nantlle, a hynny wedi cyfnodau o ddysgu yn Ysgol Glan-y-pwll, Blaenau Ffestiniog ac yn Ysgol yr Eglwys yn nhre'r Bala.

Wrth dderbyn croeso pobl Dyffryn Nantlle yn 1984 dywedodd wrth ohebydd *Yr Herald*: "Mae gennyf le mawr i ddiolch i'r Aelwyd ym Mhen-y-groes ac i arweinydd Côr yr Aelwyd, Mr Alun Griffith, am roddi'r symbyliad cyntaf ynof ac am greu diddordeb o ddifrif, a dysgu cerddoriaeth imi. Dyna pryd yr enillais wobr yn Eisteddfod yr Urdd a dechrau cael blas ar ganu a chystadlu". Enillodd hefyd ar y ddeuawd gyda'i frawd, Meirion, yn Eisteddfod Genedlaethol Llandudno 1963. Maldwyn Parry yw arweinydd Lleisiau'r Mignedd a bu'n arwain Côr Glannau Llyfnwy. Wedi canu llawer yn lleol, ei daith bellaf oedd canu yng Ngŵyl Montreux, yn y Swisdir.

1963

LLANDUDNO

MARGARET LEWIS-JONES, LLANBRYN-MAIR
(SOPRANO)

YR amod erbyn hyn yw (a) yr unawd yn ei dosbarth; (b) unrhyw gân Gymraeg wreiddiol ar wahan i (b) yn ei dosbarth.

GANED Margaret Lewis-Jones yn Nhy'n-yr-eithin, Carno, Sir Drefaldwyn. Mynychodd yr ysgol gynradd leol ac yna Ysgol y Merched, Y Drenewydd. Wedi iddi adael ysgol fe'i hyfforddwyd yn nyrs yn y Birmingham Childrens Hospital. Flynyddoedd yn ddiweddarach bu hi ei hun angen gofal ysbyty wedi damwain erchyll a fu bron â rhoi terfyn ar ei gyrfa fel cantores.

Tua saith oed hi pan aeth i gystadlu gyntaf "yng Nghwrdd Ebrill y Methodistiaid Calfinaidd yng Nghaersws. 'Dwi'n cofio mai 'Murmuring Streams' (Sankey a Moody) oedd y gân". Rhoddodd y gorau i gystadlu wedyn am ddeng mlynedd. Ei mam a'i thaid, John Morgan, oedd yn plannu ynddi'r hoffter o ganu "a phwysigrwydd y geiriau". Ond yn 17 oed aeth am wersi at Ifan Maldwyn Jones, Machynlleth, ac, ar ôl ei farwolaeth ef, at Redvers Llewelyn yn Aberystwyth. Enillodd wobr gyntaf ar yr unawd Soprano dan 25 oed yn Eisteddfod Genedlaethol yr Urdd Treorci 1947. Yn ddiweddarach bu'n aelod o Aelwyd Llanbryn-mair, gan

iddi symud yno i fyw ar ôl priodi, a hynny i hen gartref y Dr Iorwerth C. Peate [Curadur cyntaf Amgueddfa Werin Cymru, San Ffagan].

Yn 1953, wedi iddi ennill tair gwobr gyntaf ym Mhrawf Gyngerdd Aberystwyth, awgrymodd y ddau feirniad, sef Dr Maurice Jacobson a Topliss Green, y dylai fynd am *audition* at Parry Jones [Gweinyddwr Covent Garden ar y pryd]. "Fe lwyddais i yn y gwrandawiad hwnnw. Ond 'doedd dim grant i'w gael, a siom fawr i mi oedd gorfod gwrthod y cyfle". Fe ysgrifennodd hi at Dr Jacobson i egluro'r sefyllfa a chafodd air yn ôl yn mynegi ei dristwch.

Canolbwyntiodd ar gystadlu eisteddfodol. Enillodd yr unawd Soprano deirgwaith yn yr Eisteddfod Genedlaethol. Wedi iddi hi ennill ar yr unawd Soprano ym Mhwllheli 1955 "hollti blewyn fu raid, meddai'r beirniad, rhyngof fi â Richard Rees am y Rhuban Glas". Erys y cyfeillgarwch rhyngddi â Richard Rees, a buont yn canu gyda'i gilydd ar draws y byd mewn ugeiniau o gyngherddau wedi i Margaret ennill y Rhuban Glas yn Llandudno yn 1963. Ei chaneuon hi oedd 'Ritorna Vincitor' allan o'r opera Aida (Verdi) ac 'Alwen Hoff' (J. Morgan Lloyd). "Ar y prynhawn Sadwrn y cynhaliwyd y gystadleuaeth, a 'doedd y trefniadau ddim mor gryno ag y mae nhw heddiw. Fe fues i'n sefyll ar y llwyfan am hydoedd tra buo nhw'n chwilio am y Rhuban Glas i'w roi am fy ngwddf"!

Barn Margaret Lewis-Jones yw y dylid atal y wobr am y Rhuban Glas os nad yw'r safon yn ddigon uchel. Yn sicr, mae hi'n gosod y safonau uchaf posib iddi ei hun. Fe'i llosgwyd yn ddifrifol yn 1964, a threuliodd saith mis yn Ysbyty St. Lawrence, Casgwent. Daeth trwyddi, ond fe gollodd ei hyder. Mentrodd i Eisteddfod Llanddeusant ym Môn i adfer ei hyder, ac enillodd dair gwobr gyntaf yno. Enillodd eto yn yr Eisteddfod Genedlaethol ar yr unawd operatig yn Y Fflint 1969 [cystadleuaeth a gynhaliwyd yn ystod ymweliad y Tywysog Charles â'r Brifwyl] ac yn Aberteifi 1976.

Darlledodd lawer, gan gynnwys rhaglen Wilfred Pickles *The Pipes of Pan*, gyda Ronnie Ronald yn canu'r trwmped aur. Enillodd ymhob un o'r prif eisteddfodau, ond ni fu'n cystadlu erioed yn Llangollen. "'Doedd Ifan Maldwyn ddim yn cymell".

Hi a ddewiswyd yn Fam y Fro yn Eisteddfod Genedlaethol Y Drenewydd 1965. Fe gymerodd ran yn seremoni'r cyhoeddi yn 1964, ond ni allai gyflwyno'r Corn Hirlas yn yr Eisteddfod ei hun oherwydd y ddamwain. Mae hi'n aelod o'r Orsedd er 1964, ac fe'i dyrchafwyd i'r wisg wen yn Y Bala yn 1997. Marged Cledan, ar ôl nant Cledan yng Ngharno, yw'r enw gorseddol a ddewisodd. Collodd ei hunig fab yn 1994, a chredodd ar y pryd na allai fyth ganu eto. Ond wedi tair blynedd o fwlch rhoddodd gynnig arni, ac mae'n dal ati'n ddewr ar ddechrau'r unfed-ganrif-ar-hugain.

1964

ABERTAWE

PEGGY WILLIAMS, TRIMSARAN (CONTRALTO)
[GWELER TUD. 36]

1965

Y DRENEWYDD

ROBERT T. ROBERTS, DINBYCH (TENOR)

Newidiwyd yr amod i (b) unrhyw unawd Gymraeg gan gyfansoddwr Cymreig.
Codwyd y wobr ariannol (am y tro cyntaf er 1943)
o £5 i chwe gini.

GANED R. T. Roberts (sy'n fwy adnabyddus fel 'Bob Henllan') yn
Ninbych, 22 Rhagfyr, 1928. Fe'i haddysgwyd yn yr ysgolion lleol
a dechrau gweithio'n lleol yn bedair-ar-ddeg oed. Yn ddeunaw oed fe
ddechreuodd ddwy flynedd o wasanaeth milwrol a chanu mewn
cyngherddau yn y gwersyll. Gadawodd y fyddin yn 1949 a dychwelyd
i'w gynefin i weithio fel peiriannydd yn y Gwasanaeth Iechyd.

Ei dad fu'n ei hyfforddi i ganu mewn eisteddfodau lleol. Yna fe'i
cyflwynwyd i Gwilym Gwalchmai, a bu'n cael ei hyfforddi ganddo yn ei
stiwdio yn y Rhyl am bum mlynedd. Ennill mewn Prawf Gyngerdd yng

Nghorwen 1961 (ac eto yn
1963) oedd y cam pwysicaf yn ei
ddatblygiad fel canwr. 'Roedd
bellach yn llawer mwy hyderus
yn ei agwedd, ac aeth ymlaen i
ennill yn Llangollen 1964, yn
Eisteddfod Powys droeon, ac yn
eisteddfodau Llanrwst, Aberteifi,
Pantyfedwen ac Eisteddfod Môn.
Yn y cyfnod hwn fe enillodd 29
o gwpanau.

Mae ganddo atgof clir o ennill
y Rhuban Glas yn y Drenewydd:
"Yr oedd y gystadleuaeth, ar y
nos Sadwrn yn cael ei theledu;
peth newydd iawn ar y pryd.

Ychwanegodd hynny at fy nerfusrwydd. Ar ben popeth, fi oedd i ganu gyntaf. Y prif ddarn gosod oedd 'O decaf un o hudol fryd' allan o'r Ffliwt Hudol (Mozart). Pan ddaeth y feirniadaeth fe'm dyfarnwyd i'n fuddugol. Ond chefais i mo'r Rhuban Glas, Gwobr Goffa David Ellis, y noson honno. Yn ei lle, fe'm harwisgwyd efo'r Fedal Lenyddiaeth gan nad oedd y fedal briodol ar gael.

Wedi'r gorfoleddu, gwthiais y fedal fenthyg i'm poced a chael fy nhywys draw i le'r BBC am gyfweliad. Rhoddais fy llaw yn fy mhoced, ond 'doedd y fedal ddim yno. Rhuthrais odd'no i chwilio amdani ar hyd y maes. Heb yn wybod i mi 'roedd fy merch, Eirlys, oedd yn dair-ar-ddeg oed ar y pryd, wedi gweld y rhuban yn hongian o'm poced ac wedi tynnu'r fedal allan rhag ofn i mi ei cholli!

Cyrhaeddwyd ein cartref yn Henllan yn oriau mân y bore i gael fod y tŷ wedi ei orchuddio mewn baneri ac 'O decaf un o hudol fryd' wedi ei 'sgrifennu ar draws un faner. Yr oedd y pentref i gyd am rannu fy llwyddiant, ac 'roedd hynny'n ychwanegu at fy malchder innau".

Er nad oedd ennill am yr eildro yn Eisteddfod Genedlaethol Fflint 1969 lawn mor gynhyrfus, mae ganddo atgofion cynnes am y ddau achlysur fel ei gilydd. Rhoddodd gynnig ar yr unawd Tenor yn Y Bala 1967 ond heb lwyddiant "Y beirniaid ddim yn gwybod eu gwaith!" meddai'n gellweirus.

Arweiniodd ei fuddugoliaethau at gyngherddau yn Sheffield, Stoke, Birmingham, Caerloyw, Caeredin a Bryste. Teithiodd dramor hefyd i gynnal cyngherddau yn yr Almaen, Nigeria, Ffrainc, Iwerddon ac America.

"Anrhydedd fawr i mi oedd cael gwahoddiad gan yr Eisteddfod Genedlaethol i ganu yng nghyngerdd coffa David Lloyd yn y stiwdio gerdd yn Y Rhyl 1985 a thrannoeth ar lwyfan y Brifwyl ei hun".

Mae Bob Henllan yn aelod o Gantorion Gwalia dan arweiniad Rhys Jones, ac yn ystod y deuddeng mlynedd diwethaf bu'n canu yn nosweithiau'r Wledd Ganoloesol yng Nghastell Rhuthun. "A dwi'n edrych ymlaen, os byw ac iach, i weld yr Eisteddfod Genedlaethol yn dod i Ddinbych yn 2001. Pwy fydd yn ennill y Rhuban Glas yno tybed"?

1966

ABERAFAN

CELLAN JONES, PONTARDDULAIS (BARITON)

Yr un oedd amodau'r gystadleuaeth ond disgynnodd y wobr ariannol yn ôl
i £5, tra'r oedd y wobr am yr unawdau yn wyth gini! Yn Nyffryn Lliw 1980
rhoddodd Cellan Jones £15 at gost medal y Rhuban Glas.

GANED Cellan Jones Ionawr 1932 ym Mhontarddulais, ac enillodd ei
wobr eisteddfodol gyntaf yng nghapel Gerazim (i gyfeiriad
Garnswllt) pan oedd yn wyth mlwydd oed. "Aeth fy nhad â mi yno'n
grwt er mai mam (sydd yn 97 oed ym Mawrth, 2000) fyddai'n mynd â
fi fynychaf". Aeth yn ei flaen i ennill y wobr gyntaf i fechgyn dan 16 oed
yn Eisteddfod Genedlaethol Llandybïe 1944. "Fe ddechreuodd y
rhagbrawf am hanner-awr-wedi-wyth y bore a gorffen wedi pedwar y

prynhawn. 'Nant y Mynydd' (Vaughan
Thomas) oedd y gân. Yn yr eisteddfod
honno fe glywais i Nancy Bateman yn
ennill y Rhuban Glas ac fe ddywedais i
wrth fy rhieni 'Gobeithio y galla i ennill
y Rhuban Glas ryw ddydd', ac fe wnes i
hynny ddwy-flynedd-ar-hugain yn
ddiweddarach".

Enillodd eto ar yr unawd i fechgyn
ym Mae Colwyn 1947, ac ar y ddeuawd
agored i blant yn y Brifwyl honno
gyda'i frawd, Gwyndaf. Daeth yn ail ar
yr unawd Bariton dan 25 oed yn
Aberdâr 1956; ennill yr unawd Bariton
yn Nyffryn Maelor 1961; ail ar yr
unawd Bas yn Llanelli 1962 (collodd o
un marc ynghanol storm o fellt a
tharanau, neu fe fyddai wedi bod y

47

cyntaf i ennill y Bariton a'r Bas ddwy flynedd yn olynol); ail ar yr unawd Bariton yn Abertawe 1964 (yma wynebodd siom aruthrol. Oherwydd cymysgedd efo'r marciau fe'i galwyd i'r llwyfan fel yr enillydd. Yna darganfyddwyd y camgymeriad), ac yna'r buddugoliaethau nodedig yn Aberafan 1966 yn ennill yr unawd Bariton ac yna'r Rhuban Glas.

Yn cystadlu yn ei erbyn am y Rhuban Glas y diwrnod hwnnw yr oedd y ferch o'r Hendy sy'n wraig iddo bellach – Jean Evans, y Soprano. [gweler y llun]

"Ond eisteddfod y Jonesiaid oedd eisteddfod Aberafan – Dic Jones yn ennill y gadair; Dafydd Jones, Ffair Rhos yn ennill y goron; Glynne Jones yn arwain Côr Meibion Pendyrus i fuddugoliaeth; T. James Jones yn ennill y Llwyd o'r Bryn a minnau'n ennill y Rhuban Glas"

Cynhaliwyd y gystadleuaeth am hanner-awr-wedi-deg ar y bore Sadwrn "ac 'roedd hi'n pistyllio'r glaw. Kenneth Bowen oedd yn traddodi ac fe ddywedodd e' ei bod hi'n hen bryd i swyddogion yr Eisteddfod ystyried symud y gystadleuaeth i well amser". Y ddau feirniad arall oedd Redvers Llewelyn a Meirion Williams.

Fe ganodd 'Digon yw Hyn' (Mendelssohn) a'r 'Cerddor' (Hugo Wolf) a chael ei ganmol am berfformiad artistig a phroffesiynol.

Ar gyfrif ei lwyddiant yn Aberafan fe'i gwahoddwyd i ganu yn y Festival Hall yn Llundain ac yn Neuadd Albert, yn Neuadd y Ddinas, Birmingham, Neuadd y Brangwyn, Abertawe ac yn eglwysi cadeiriol Llandaf a Chaerloyw. Bu'n darlledu ar raglenni fel *Dechrau Canu, Dechrau Canmol*, *Cenwch i'm yr Hen Ganiadau* ac *Young Artistes*.

Ym myd yr oratorio y daeth ei brysurdeb pennaf yng Nghymru a Lloegr am y blynyddoedd nesaf e.e. Meseia, Elias, Samson, Judas Maccabeus, Acis a Galatia, Y Greadigaeth, a Requiem (Faure). Ef oedd yr unawdydd yn y perfformiad cyntaf o 'Mab y Dyn' (Arwel Hughes) yn y Tabernacl, Caerdydd ac fe recordiodd yr opera 'Blodwen' (Joseff Parry) gyda Chôr Meibion Pontarddulais. Bu hefyd yn crwydro ysgolion yn Sir Fynwy gan berfformio rhannau o weithiau cerddorol adnabyddus.

Postman oedd Cellan Jones wrth ei waith i ddechrau, ac yna ymddeol fel cynrychiolydd cwmni byd-eang yn ymwneud â fferylliaeth.

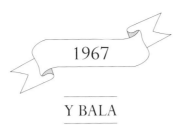

WILLIAM JONES, TRAWSFYNYDD (BAS)

Mae'r wobr yn ôl yn chwe gini ac amod (b) unrhyw unawd Gymraeg
gan gyfansoddwr Cymreig.

GANED William Jones, 'Prysor' yw ei enw Gorseddol, yn Hafod Wen,
Cwm Prysor, Trawsfynydd ar 13 Ionawr, 1924, yn un o efeilliaid.
"Er yn gynnar, mae'r capel wedi chwarae rhan bwysig yn fy mywyd.
Cofiaf gael fy nghodi ar y sêt fawr pan oeddwn yn blentyn bach iawn
mewn Cyfarfodydd cystadleuol. Ond mae'r siwrnai o'r sêt fawr honno i
lwyfan y Genedlaethol wedi bod yn ddiddorol gan imi ennill cannoedd o
wobrau mewn gwahanol eisteddfodau ledled y wlad, gan gynnwys
Powys a Phontrhydfendigaid.

Ffermio yw fy ngalwedigaeth.
Eilbeth oedd canu, ond yma y
cawn fy mhleser. Yn 1947
cynigiais am ysgoloriaeth i
unawdydd dan 24 oed yng
Ngŵyl Gerddorol yr Wyddgrug.
Enillais yr ysgoloriaeth allan o
67 o gantorion drwy Gymru. Yr
ail oedd Richard Rees, Pennal,
gyda Beti Pierce, Pwllheli yn
drydydd. Cefais y fraint o
ysgwyd llaw â Leila Megane
wedi'r gystadleuaeth, gan mai ei
gŵr, T. Osborne Roberts, oedd
un o'r beirniaid.

Cynigiwyd imi fynd yn
broffesiynol ar ôl y fuddugoliaeth
honno ond ni allwn gefnu ar

'frefiadau'r defaid a'r ŵyn'. Canlyniad yr ysgoloriaeth oedd imi ddewis Mr Powell Edwards yn hyfforddwr llais. Cofiaf ef yn dweud y dylwn wneud canwr gan fod gennyf gorff cryf a oedd yn hanfodol i ganwr.

Enillais bum gwaith ar yr unawd Bas yn y Genedlaethol – Llandudno 1963, Maldwyn 1965, Y Bala 1967, Y Fflint 1969 a Bangor 1971. Enillais hefyd ar y 'lieder' yn Y Fflint. Eisteddai'r Tywysog Charles yn y seddau blaen, ond y beirniaid oedd yn bwysig i mi!

Prif nôd unrhyw ganwr yw ennill y Rhuban Glas, a bum yn lwcus o gyrraedd yr uchafbwnt hwnnw ddwy waith. Yn Y Bala 1967 cefais fy nghyflwyno i'r gynulleidfa cyn canu gan y Parchedig Huw Jones. 'Rwyf bron yn ddwylath o daldra a Huw, oedd yn sefyll o'm blaen, dipyn llai na hynny. Er 'mod i yn gweld yn iawn dros ei ben, cyhoeddodd 'Mi symuda i o'r ffordd rwan i chi gael ei weld o!' a chwerthin mawr drwy'r gynulleidfa. Wedi'r dyfarniad, ac wrth dderbyn y Rhuban Glas ganddo, euthum ar fy ngliniau o'i flaen!

Cefais y fraint a'r anrhydedd o ganu Cân y Cadeirio deirgwaith – yn Y Barri 1968, Bro Dwyfor 1975 a Bro Madog 1987. Trysoraf yn fawr y llythyr gan Cynan ei hun, yn gofyn imi ganu Cân y Cadeirio yn Y Barri. Cyn cychwyn i'r De i'r Eisteddfod honno, honnai mam mai R. Bryn Williams fyddai'n ennill y gadair. Cwrddais ag ef ar y maes, a dywedais wrtho am broffwydoliaeth mam. Ei ateb oedd dweud fod cyfrinach ennill y Gadair yn fwy nag y gellid ei datgelu. Pan oeddwn yn barod i ganu ar y llwyfan yn ystod y seremoni, pwy gododd ar alwad y Corn Gwlad ond Bryn.

A dyma i chi gyd-ddigwyddiad rhyfedd ynglŷn â'r Gadair a'r Rhuban Glas. Yr un a enillodd y Gadair yn y ddwy eisteddfod yr enillais i'r Rhubanau Glas oedd y Prifardd Emrys Roberts, Cadair Y Bala am awdl 'Y Gwyddonydd' a Chadair Bangor am awdl 'Y Chwarelwr'".

Gan iddo sôn am ei ddyled i'r capel, 'does ryfedd iddo dderbyn clod y beirniaid yn Eisteddfod Genedlaethol Y Bala, wrth ennill y Rhuban Glas am y tro cyntaf, am ei ddehongliad argyhoeddiadol o'r darn prawf 'Gadarn Iôr'. Ond ei ffefryn yw'r darn arall a ganodd y diwrnod hwnnw, sef 'Berwyn' (D. Vaughan Thomas).

1968

Y BARRI

Enid Wynne Thomas, Studley (Contralto)

MERCH o Sir y Fflint yw Enid Wynne Thomas (Morris cyn priodi). Ganed hi yn Llaneurgain (Enid Eurgain yw ei henw Gorseddol) yn Nhachwedd 1932. Yn ysgolion uwchradd Y Fflint ac yna Treffynnon y cafodd hi ei haddysg gynnar. Cafodd wersi piano i ddechrau, ond yn bymtheg oed newidiodd ei blaenoriaethau a chafodd wersi canu. "Yn eisteddfod yr ysgol, fodd bynnag, deuwn yn ail bob tro i ferch o'r enw Beryl Woodward [Mrs Beryl Lloyd Davies, yr Wyddgrug], merch a chanddi lais soprano swynol".

Derbyniwyd Enid Wynne Thomas i'r Coleg Normal ym Mangor ond, unwaith eto, newidiodd ei blaenoriaethau a mynd i weithio mewn swyddfa ac yna i ffatri John Summers ("y cyflog yn llawer gwell"!). Priododd yn 1955 efo Gwilym Thomas, bachgen o Sir Fôn. Symudodd ei rhieni hithau i fyw i Fôn ac anogodd ei mam hi i gystadlu yn y llu eisteddfodau lleol ar yr ynys.

Yr oedd hi ei hunan yn fam i dri o blant cyn iddi fynychu'r Coleg Normal, Bangor o 1962 hyd 1965. Hyfforddwyd hi yno i fod yn athrawes Gwyddor Tŷ, ond ni allai gael swydd yng ngogledd Cymru. Dyna sut yr aeth i fyw i Studley, Swydd Warwick ac yno mae hi'n byw o hyd.

Gan Raymond Stuart y cafodd hi wersi canu, a chafodd brentisiaeth galed yn yr eisteddfodau lleol. Ni fedrai'r Gymraeg, a dibynnu ar ei chyd-gystadleuwyr i gyfieithu'r feirniadaeth iddi oedd y drefn.

Am ei hatgofion o'r Eisteddfod Genedlaethol fe ddywed: Caernarfon 1959 "heb baratoi'n ddigonol"; Caerdydd 1960 "gweld y Frenhines a chanu'n wael"; Rhosllannerchrugog 1961 "dod yn drydydd". Y Bala 1967 "dod yn gydradd ail efo Joan Chesterton" ac yna'r Barri.

"Mari Roberts, chwaer yr Archdderwydd Gwyndaf, ddreifiodd fi yno. 'Roeddwn i wedi ymarfer yn galed ar gyfer yr unawd Contralto. Y darnau gosod oedd 'Poen a Chur' (Bach) a 'San Gofan' (J. Morgan Lloyd). Arnold Draper oedd y cyfeilydd, ac 'roedd e'n wych.

Ar ôl ennill y Contralto 'roedd yn rhaid paratoi ar gyfer y Rhuban Glas ar y bore Sadwrn. 'Ni Chaf Mwy Fy Euridice' (Gluck) oedd fy hunan-ddewisiad, a chefais un ymarfer terfynol ar stondin cwmni Cranes ar y maes cyn mentro i'r Pafiliwn. Ar y llwyfan 'roedd yna Gôr merched yn canu cerdd dant. Trïo cofio fy ngeiriau oeddwn i, a'r meddwl yn hollol syn. 'Doeddwn i'n cofio'r un gair; y cyfan wedi diflannu. Ymhen ychydig amser, galwyd fy enw. Wrth gerdded i fyny'r grisiau i'r llwyfan fe wyddwn mai hwn oedd fy nghyfle, ac yr oeddwn am wneud yn fawr ohono.

Cenais gân Bach (Poen a Chur) yn gyntaf, ac fe aeth hi'n bur dda. Rhoddais y cwbl oedd gen i i'w gynnig i'r adroddgan a'r aria gan Gluck. Ar y diwedd, fe allwn i fod wedi crïo oherwydd yr emosiwn a grëwyd gan y gân o'm mewn. Gwrandewais ar yr unawdwyr eraill. 'Roedde nhw i gyd yn ardderchog, ac ofnwn y gwaethaf. Fedra i ddim disgrifio fy nheimladau pan gyhoeddwyd fi'n fuddugol, na phan roddwyd y Rhuban Glas am fy ngwddf gan Mrs Gwyneth Alban Jenkins. 'Roedd dagrau yn ei llygaid hi, a dagrau yn fy nghalon innau; dagrau o lawenydd wrth reswm. Ar hyd y blynyddoedd 'roedd Mrs Jenkins wedi dilyn fy ymdrech i ddringo'r grisiau eisteddfodol. Ac 'roedd hi gyda mi pan gyrhaeddais i'r brig".

Disgrifiwyd ei dehongliad o gân Gluck fel 'munudau o harddwch ysbrydoledig'. "Fe genais oratorio wedi hynny, ac mewn cyngherddau di-rif. Cefais fy nerbyn yn aelod o'r Orsedd yn y Fflint yn 1969, ac fe genais Gân y Cadeirio yn Eisteddfod Genedlaethol Dyffryn Clwyd 1973. Ond person teulu ydw i, a digon yw digon".

1969

Y FFLINT

ROBERT T. ROBERTS, DINBYCH (TENOR)

[GWELER TUD. 45]

1970

RHYDAMAN

DAVID JONES, LLANILAR (TENOR)

DAI Jones, y ffermwr, cyflwynydd y gyfres deledu boblgaidd *Cefn Gwlad* a'r rhaglen radio *Ar Eich Cais,* yw'r 'David' a gofnodir yn swyddogol yn Llawlyfr Llys yr Eisteddfod. Gan fod ynddo waed y Cardi, bydd wrth ei fodd yn cofio bod y wobr ariannol wedi ei chodi'r flwyddyn hon o £6 i £10.

Cardi o dras yw Dai Jones, nid o ran ei eni. Cocni ydyw, a Chocni balch ar hynny. "Mae pobl yn dueddol o edrych arna' i fel Cardi rhonc. Ond mae rhan helaeth ohona i'n Gocni. Mae 'ngwreiddiau i yn ddwfn yng Ngheredigion, mae'n wir. Ond 'rown i'n dair oed yn dod i fyw yng Nghymru". Fe'i ganed yn Ysbyty Brenhinol Hornsey, Llundain ar 18 Hydref, 1943. Deuai ei fam o Dal-y-bont, Ceredigion, a'i dad o Langwyryfon. Symudodd y ddau i Lundain "i'r fusnes laeth, ac yn Llundain y cwrddon nhw â'i gilydd".

Daeth i "fyw i'r wlad" o ddewis, a chael ei addysg gynnar yn Ysgol Gynradd Llangwyryfon. "'Rwy'n cofio'n iawn y noson ddaru canu gydio ynof. Gwelais bortread ar deledu o'r canwr a'r ffermwr Richard Rees, Pennal. Cefais fy ngwefreiddio gan ei bersonoliaeth a'i lais, ac o'r noson honno ymlaen ef oedd fy arwr".

Dechreuodd ganu mewn eisteddfodau bach pan oedd yn ei ugeiniau cynnar, ac ennill ei gwpan cyntaf yn eisteddfod Ty'ngraig, Ystrad Meurig. Ei athro llais cyntaf oedd Redvers Llewellyn, o'r Adran Gerdd yn y Coleg yn Aberystwyth. Profiad cyntaf Dai Jones o'r llwyfan cenedlaethol oedd yn Aberafan 1966, a hynny ar yr unawd dan 25 oed yn canu

'Plygeingan' (Idris Lewis) a chyfieithiad Cymraeg o 'Nessum Dorma' (Puccini). Ei athro geirio oedd Ifan Maldwyn Jones o Fachynlleth. "Yn gyntaf fe fyddai'n gofyn i chi adrodd y darnau cyn meddwl am eu canu. Ganddo fe y dysgais i'r prif unawdau i gyd".

Cynigiodd am grant i astudio'n rhan-amser gyda Gwilym Gwalchmai yn y Coleg Cerdd Brenhinol ym Manceinion, ond ni fu hynny'n bosibl a threfnwyd iddo gael gwersi gyda Colin Jones yn y Rhos, ac âi hefyd at Eluned Douglas Williams yn Nolgellau. Wedi ennill ddwywaith yn Eisteddfod Genedlaethol yr Urdd (yng Nghaerfyrddin a Llanrwst), ennill ym Mhontrhydfendigaid ac ennill £135 mewn diwrnod yng Ngŵyl Fawr Aberteifi, awgrymodd Colin Jones iddo y dylai ganolbwyntio yn 1970 ar Eisteddfod Ryngwladol Llangollen, ac ar y Genedlaethol yn Rhydaman. Enillodd wobr Canwr y Flwyddyn yn Llangollen, a chafodd gynnig gan ddau o'r beirniaid i fynd i'r Eidal "i ddysgu bod yn ganwr proffesiynol". Ond gwrthod y cynnig a wnaeth.

Yn Rhydaman, 'roedd dros 30 o denoriaid yn y rhagbrawf. Dai Jones enillodd, yn canu aria Lenski allan o 'Eugene Onegin' (Tchaikovsky) a'r 'Dieithryn' (J. Morgan Nicholas). Ar nos Sadwrn y Rhuban Glas yr oedd saith, nid y chwech arferol, i fod i gystadlu [rhannwyd gwobr y Bariton rhwng dau], ond ar y Sadwrn collodd y Contralto [Mabel Roberts] ei llais. Colli ei fag cerddoriaeth ar y cae a wnaeth y Tenor, ond fe enillodd Dai Jones y Rhuban Glas ac yntau'n 26 oed. "Ar ôl i fi ennill fe wahoddodd Selwyn Roderick [BBC] fi yn ôl i ganu yn y Gymanfa Ganu ar y nos Sul. A phrofiad bythgofiadwy oedd canu 'Y Nefoedd' (Osborne Roberts) i bafiliwn a oedd dan ei sang".

Ei atgof arall am Rydaman oedd cyfarfod ag Aled Lloyd Davies "mewn siop tships yn Llandeilo" ar ôl ennill yr unawd Tenor. "Fe gododd Aled fy nghalon i. Yn wir, 'rwy'n siŵr iddo fy ysbrydoli i. Fe ddywedodd wrtha i am beidio â gofidio gan y byddai Cymru gyfan y tu ôl i fi. Gwireddais y freuddwyd o efelychu fy arwr, Richard Rees, wrth ennill y Rhuban Glas."

1971

BANGOR

WILLIAM JONES, TRAWSFYNYDD (BAS)

[GWELER TUD. 49]

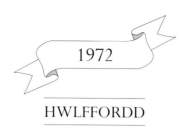

1972

HWLFFORDD

ALMA EVANS, BEULAH, LLANWRTYD (SOPRANO)

GANED Alma Evans yn Llandybïe, Sir Gaerfyrddin yn 1930. Pan oedd hi'n ddisgybl yn Ysgol yr Eglwys, ac yn aelod o'r côr a'r G.F.S. yn Eglwys Llandybïe, hi fyddai'r brif unawdydd yn 'operettas' blynyddol y cwmni. Mr Gwilym Evans, Cross Hands, oedd yn rhoi gwersi piano a gwersi canu iddi, a byddai'n cystadlu mewn eisteddfodau lleol yn ei harddegau.

Wedi dyddiau ysgol bu'n gogydd yn Ysgol Ganol Llandybïe. Priododd â Melvyn Evans, athro a fu'n dysgu yn Birmingham ac yn Llanfair-ym-Muallt. Enw Alma Evans yng Ngorsedd yw Eos Muallt.

Bu'n llwyddiannus yn yr Eisteddfod Genedlaethol o'r dechrau. Yn Aberysytwyth 1952, ar ei hymweliad cyntaf â'r Brifwyl, hi oedd yn fuddugol ar yr unawd Soprano dan 25 oed. Daeth yn fuddugol eto dan 25 oed ym Mhwllheli 1955. Yn Aberdâr 1956 fe enillodd hi ar yr unawd opera Agored.

Ar ôl ei llwyddiant yn Aberystwyth derbyniodd Alma wahoddiad i fynd am glyweliad gyda Chwmni Opera Covent Garden (profiad lled gyffredin i nifer o gantorion eisteddfodol ar un adeg), ond yn hytrach na derbyn y gwahoddiad dewisodd ymuno â Chorws y BBC. Yn fuan wedyn dewiswyd hi hefyd yn aelod o Wythawd y BBC. Dyma gyfnod o waith radio yn aelod o'r Corws, a darlledai'n gyson i'r gwasanaethau crefyddol fel aelod o'r Wythawd.

Dyma hefyd gyfnod y 'Cyngherddau Mawreddog', a'r cyngherddau sy'n aros yn ei chof yw Cyngerdd Capel Castle Street, Llundain, yn 1952; Cyngerdd Gŵyl Dewi Rugby 1954; Cyngerdd Caerffili, a rhannu llwyfan efo Syr Geraint Evans, 1956 a Chyngerdd Agoriadol Gŵyl Fawr Aberteifi 1957 gyda Cherddorfa'r BBC.

Cyfnod prysur iddi oedd hwn o ganu mewn oratorio mewn capeli ac eglwysi dros Gymru gyfan ac yn rhai o eglwysi cadeiriol y Canoldir.

Ymhlith y gweithiau hynny yr oedd Meseia, Elias, Judas Maccabaeus, Samson, Stabat Mater, Acis a Galatea, Requiem (Mozart) a rhai o weithiau cerddorol Bach.

Bu'n byw yn Birmingham o 1961 hyd 1970. 'Roedd canu gyda chantorion fel Gerald Davies, Kenneth Bowen, Stuart Burrows, Helen Watts yn brofiad arbennig iawn. Dechreuodd ail gystadlu, ac ennill ar yr unawd Soprano yn Eisteddfod Genedlaethol Y Bala 1967. Enillodd eto yn Y

Barri 1968. Wedi symud i Lanfair-ym-Muallt yn 1970 byddai'n cystadlu yn eisteddfodau Pantyfedwen ac eisteddfodau'r cylch.

Yn 1972 yn Eisteddfod Genedlaethol Hwlffordd fe gyrhaeddodd y nod trwy ennill yr unawd Soprano am y drydedd waith, a mynd ymlaen i ennill y Rhuban Glas. "Diwrnod bythgofiadwy oedd hwnnw, yn llawn teimladau anhygoel o foddhad a phleser. Ac wedi imi ennill y gamp, treuliais brynhawn braf yn cerdded y maes a theimlo'r cyfan yn nefoedd i gyd".

Yn sgîl yr ennill hwnnw fe'i gwnaed yn aelod o Orsedd y Beirdd yn 1973, ac fe'i dyrchafwyd i'r wisg wen yn 1994 ar sail ei ffyddlondeb a'i gwasanaeth i'r Orsedd. Mae'n cofio hefyd am ganu efo Richard Rees a Richie Thomas, ac am ganu gyda Chôr Meibion Dowlais, Côr Meibion Pontarddulais, Côr Godre'r Aran ac am deithio i Ganada fel unawdydd gyda Chôr Llanpumsaint.

Mae Alma bellach yn byw yng Nghaerfyrddin, yn aelod o Gôr Llanpumsaint ac o Gôr Eisteddfod Genedlaethol Llanelli 2000.

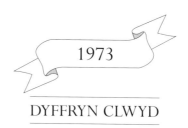

1973

DYFFRYN CLWYD

IWAN DAVIES, PRESTATYN (TENOR)

GANED Iwan Davies yn Y Rhyl yn 1932. Yn y dref honno y cafodd ei lwyfan cyntaf "pan gariwyd fi i'r llwyfan, yn groes i'm hewyllys, gan fy nhad. Ond unwaith yr oeddwn i efo'r plant eraill 'roeddwn i'n iawn. A bûm yn gymharol gyffordds ar lwyfan byth oddi ar hynny".

Yn ystod blynyddoedd yr Ail Ryfel Byd yr oedd galw mawr arno fel *treble*. Canodd droeon gyda 'sêr' y byd adloniant a ddaethai i Fangor i ddarlledu, sef criw ITMA a'r organyddion Sandy Macpherson a Reginald Foorte. Darlledodd hefyd ar *Awr y Plant* gyda Sam Jones yn cynhyrchu.

"Yr oedd fy nhad wrth ei fodd pan gefais i wahoddiad i ganu gyda'i hen gyfaill, David Lloyd, ond yn anffodus, rhyw dridiau cyn y cyngerdd, fe dorrodd fy llais".

Yn ystod y cyfnod o ddwy flynedd yn y Llu Awyr gwnaeth gais am le yn y Guildhall School of Music, ac fe'i derbyniwyd. Ond ofnai ansicrwydd yr yrfa a allai ddatblygu o hynny ac aeth i Goleg Hyfforddi Caerleon lle'r enillodd dystysgrif athro. Dysgodd am flynyddoedd ym Manceinion, a chanu "tros

ogledd Lloegr i gyd", cyn dychwelyd i Gymru yn 1966 yn Brifathro Ysgol Christ Church, Y Rhyl, sef ei hen ysgol. "Ar ôl rhyddid llwyfan y cyngherddau, 'roedd hi'n ddigon anodd addasu i lwyfan beirniadol yr eisteddfod".

Daethai ei lwyddiant cyntaf ar lwyfan yr Eisteddfod Genedlaethol, yn briodol ddigon, yn ei dref enedigol yn 1953 tra'r oedd yn fyfyriwr yng Nghaerleon. Ar ôl dychwelyd i Sir y Fflint yn 1966 bwriodd brentisiaeth eisteddfodol unwaith eto yn eisteddfodau Powys, Llanrwst, Butlins, Pontrhydfendigaid, Aberteifi ac ym Môn. Daeth ei hyder yn ôl, ac fe enillodd yr unawd Tenor yn Eisteddfod Genedlaethol Y Fflint 1969, Bangor 1971 a Dyffryn Clwyd 1973.

"Trydydd tro i Gymro oedd hi. Yr unig gwmwl dros Ddyffryn Clwyd i mi oedd na chafodd fy nhad fyw i'm gweld yn ennill y Rhuban Glas. 'Roedd o'n 'eisteddfodwr o'r eisteddfodwyr', a byddai fy ngwel yn gwisgo'r Rhuban Glas wedi ei wneud yn hapus tu hwnt, a hynny yn Rhuthun – y dref lle cyfarfu gyntaf â mam. Mae arna' i ddyled fawr hefyd i'm hyfforddwr, Gerald Davies o Gaerdydd (y Tenor enwog, nid y chwaraewr rygbi!) ac i'm gwraig, Eirlys, fu'n gefn mawr i mi".

Canwr amryddawn yw Iwan Davies, ac fe allodd gamu yr un mor hyderus i lwyfan opera â'r llwyfan cyngerdd ac oratorio. Y mae'n aelod gwreiddiol o Opera Clwyd, ac wedi canu'r prif rannau yn Cavalleria Rusticana, Faust ac Eugene Onegin. Fel aelod o Gwmni Opera Sir y Fflint fe ganodd yng nghynhyrchiad cyntaf y cwmni hwnnw – The Bartered Bride, ac eto yn chwarae rhan Don Jose yn Carmen. Ar lwyfan Eisteddfod Genedlaethol Wrecsam 1977 fe ganodd yn y cynhyrchiad dramatig o Hiawatha, ac eto yng nghynhyrchiad Rhys Jones a Bob Roberts o Ffantasmagoria.

Teithiodd i gyngherddau tramor, yng Nghanada, America, yr Almaen a Nigeria. Aeth i Nigeria gyntaf yn 1978, a chafodd wahoddiad yn ôl yno yn 1979 i gyngerdd a drefnwyd gan Lysgenhadaeth Prydain. Yn briodol iawn teitl ei ddisg o ganeuon gan Gwmni Sain yw 'Byd o Gân'.

"Yn amlwg, fe wnes i fwynhau ennill y Rhuban Glas. Ond fe wnes i fwynhau hefyd yr holl brofiad o gystadlu yn erbyn y cantorion eraill. A thros y blynyddoedd, ar waetha'r ymryson, fe ddaethom yn ffrindiau agos. Fe fyddwn i'n ddigon bodlon mynd trwy'r felin eto, hyd yn oed yr eisteddfodau hynny lle ces i gam!"

1974

ANGELA ROGERS DAVIES, CRIBYN (CONTRALTO)

GANED Angela Rogers-Lewis yn Abermeurig, Ceredigion, ar 24 Chwefror, 1947, "adeg yr eira mawr, a heb gymorth meddygol am fod y nyrs yn methu dod drwy'r eira". Mynychodd Ysgol Gynradd Trefilan, ac yna Ysgol Uwchradd Aberaeron. "Ni fûm yn dilyn eisteddfodau yn blentyn. Ond yr hen Eisteddfod ysgol a agorodd y llifddorau pan oeddwn i'n 14 oed. 'Roedd yna bosibilrwydd o ennill pwyntiau i'm tîm, felly 'roedd yn rhaid mynd ar y llwyfan. A'r beirniad y diwrnod hwnnw a ddechreuodd fy ngyrfa canu o ddifrif ar ôl iddo fynnu gair â'm rhieni".

Y beirniad hwnnw oedd Mr Edward (Ted) Morgan, Llandysul. Dywedodd wrth rieni Angela y byddai dyfodol disglair o'i blaen pe bai'n gofalu am ei llais. Dechreuodd gael gwersi gydag Eirios Thomas, ac yna Ted Morgan ei hun. "Erbyn hyn, 'roedd canu yn fy ngwaed a'r ysfa yma â'm cymhellodd i ddilyn cwrs cerddoriaeth yng Ngholeg Cerdd a Drama, Caerdydd".

Ei hyfforddwraig bersonol yn y coleg oedd Valetta Iacopi. Tra'n y coleg fe enillodd Wobr Pernod, sef cystadleuaeth i Gymru gyfan, a daliodd i ddilyn eisteddfodau tros y wlad. "'Roedd Valetta Iacopi yn hyfforddwraig heb ei hail, ac 'rwy'n cofio cael fy neffro'n aml am bump y bore i redeg ar y traeth er mwyn dihuno'r llais cyn cystadlu. Bryd hynny 'roedd nifer o ragbrofion am wyth y bore".

Yn 1968 cafodd swydd dysgu yn Ysgol Gynradd Aberaeron. Bu'r flwyddyn ganlynol, 1969, yn flwyddyn i'w chofio. Dyweddïodd ag Eric; enillodd Ysgoloriaeth £100 yn Eisteddfod Rhys Thomas James, Pantyfedwen; ennill yr unawd yn Eisteddfod Genedlaethol yr Urdd yn Aberystwyth, ac ennill yr unawd Contralto dan 25 oed a Gwobr Goffa Osborne Roberts yn Eisteddfod Genedlaethol Y Fflint.

Derbyniodd y Rhuban Glas hwnnw o law Syr Geraint Evans "Ac yntau'n fy annog i adael fy swydd fel athrawes a dilyn gyrfa llawn amser fel cantores". Meddai'r beirniad, Elfed Morgan, 'Bob blwyddyn y mae un llais yn sefyll allan, ac fe glywsom y llais hwnnw heddiw. Mae gan y ferch hon bob dim sydd ei angen i fod yn artist o bwys. Mae'n hawdd gwrando arni, ac yn hardd i edrych arni".

Yn 1970 fe'i dewiswyd yn unawdydd gyda Cherddorfa Ieuenctid Cymru. A'r flwyddyn ganlynol daeth yn rhan o ddeuawd trwy briodi Eric yn Eglwys Trefilan ac ymgartrefu ar fferm a bridfa cobiau Cymreig yng Nghribyn, ger Llanbedr Pont Steffan.

Enillodd y Contralto a'r unawd Opera yn Hwlffordd 1972. Erbyn 1974, a hithau'n fam i Nicola, daeth y llwyddiant eisteddfodol uchaf – ennill y Rhuban Glas yn Eisteddfod Genedlaethol Caerfyrddin. "Cynhaliwyd y gystadleuaeth am ddeg y bore. Y noson cynt 'roeddwn i wedi colli fy llais a'm mam-yng-nghyfraith yn rhoi concocsiwn anhygoel imi a'm hel i'r gwely. Wn i ddim hyd heddiw beth oedd ei gynnwys"!

Eisteddfod wlyb oedd Eisteddfod Genedlaethol Caerfyrddin. "'Roedd hi'n bwrw glaw, a minnau mewn ffrog hir, ac wedi ennill, yn gorfod codi fy ffrog at fy mhengliniau i osgoi'r holl fwd". A hithau'n wraig fferm!

Rhoddodd y gorau i gystadlu a mynd ati i ganu mewn cyngherddau yng Nghymru, Lloegr a thu hwnt. Canodd yn Columbus Ohio, America; yn yr Almaen fel unawdydd gyda Chôr Meibion Aberafon ac yn Lagos, Nigeria. Fe'i hurddwyd i Orsedd y Beirdd ym Mro Dwyfor 1975 a chanodd Gân y Cadeirio yn Eisteddfod Genedlaethol Wrecsam 1977. "Yn 1984 braf oedd cael dychwelyd i'r llwyfan mewn cyd-destun arall a chael yr anrhydedd o gario'r Corn Hirlas yn Eisteddfod Genedlaethol Llanbedr Pont Steffan".

Mae Angela Rogers Davies yn Ddirprwy Brifathrawes yn Ysgol Gynradd Aberaeron.

1975

BRO DWYFOR

BERYL JONES, MOCHDRE, BAE COLWYN
(CONTRALTO)

Codwyd y wobr ariannol i £15 i fod yn gyfartal â'r gwobrau i'r unawdau – ond nid oedd eisteddfodau'r De mor hael. £10 oedd y wobr yno hyd 1981.

GANED Beryl Jones yn Padog, ger Betws-y-coed ar 16 Medi, 1944 a threuliodd flynyddoedd ei phlentyndod yn Eglwysbach, Dyffryn Conwy. Fe'i haddysgwyd yn ysgol y pentref, Ysgol Ramadeg Llanrwst ac yng Ngholeg Prifysgol Cymru, Bangor, lle graddiodd mewn Bywydeg Llysieuol yn 1965. Wedi ennill Tystysgrif athro bu'n dysgu Bywydeg yn ysgolion Grove Park a Bromfield, Wrecsam ac, o 1975 ymlaen, yn Ysgol Howell's, Dinbych.

Wedi iddi fwrw'i phrentisiaeth mewn eisteddfodau lleol daeth ei llwyddiannau cynnar ar lwyfan Eisteddfod Ryngwladol Llangollen lle'r enillodd yr unawd Contralto yn 1973 ac 1974. Ar y llwyfan hwnnw hefyd yr enillodd y gystadleuaeth Canwr y Flwyddyn 1976.

Yn 1975, y flwyddyn yr enillodd hi'r Rose Bowl yng Nghaer, fe gyflawnodd Beryl Jones gamp y goron driphlyg yn Eisteddfod Genedlaethol Bro Dwyfor gan ennill ar y Lieder a'r unawd Contralto a'r Rhuban Glas.

"Cofiaf am yr wythnos fel un brysur iawn gan fy mod i'n gyrru i'r eisteddfod yn ddyddiol o Fochdre, Bae Colwyn lle yr oeddwn yn aros yn ystod gwyliau haf ar ôl

62

gadael fy swydd yn Wrecsam a chyn dechrau ar fy swydd newydd yn Ninbych. Cofiaf hefyd am y gwres llethol gydol yr wythnos.

Cefais lwyddiant yn y gystadleuaeth Lieder ddydd Mercher, a chan fod oddeutu cant yn cystadlu 'roedd hyn yn hollol annisgwyl. Wedi ennill ar yr unawd Contralto ddydd Gwener 'roedd yn rhaid paratoi ar gyfer cysatdleuaeth y Rhuban Glas. 'Roedd y gystadleuaeth i'w chynnal ar y nos Sadwrn am y tro cyntaf, ac mewn pafiliwn gorlawn 'roedd yr awyrgylch yn drydanol.

Y darn prawf oedd 'Hence Iris Hence Away' o Semele gan Handel. 'Roeddwn yn ffodus fod y darn prawf yn gweddu i'm llais a'm harddull i. Yn wahanol i'r arfer 'roedd rhyddid i ddewis unrhyw gân i'w chanu yn Gymraeg, yn hytrach na chân wreiddiol Gymraeg. Dewisais ganu cyfieithiad Cymraeg o gân gan Schubert 'Er, der Herrlichste von allen' / 'Er yr haelaf oll o ddynion' fel cyferbyniad i'r darn prawf gan fy mod yn hoff o ganu lieder.

Trefnwyd i'r unawdwyr ganu am-yn-ail â'r Corau Cerdd Dant, felly bu'r gystadleuaeth ymlaen am oriau lawer. 'Roedd awyrgylch hwyliog braf y tu cefn i'r llwyfan, ond 'roeddwn yn eithaf nerfus yn perfformio ar y llwyfan y noson honno. 'Roedd ennill y Rhuban Glas ar y cynnig cyntaf yn eithaf sioc, ond hefyd yn brofiad pleserus a chynhyrfus iawn.

'Roeddwn yn ffodus iawn o gael athrawes ganu wych, sef Mabel Wilfrid Jones, merch i Wilfrid Jones, Rhosllannerchrugog, cyfansoddwr y gân adnabyddus 'Y Bugail'. Ef, mae'n debyg, a fu'n hyfforddi David Ellis ar un adeg".

Ar ôl ennill yn Eisteddfod Bro Dwyfor ac yn Llangollen rhoddodd Beryl Jones y gorau i gystadlu'n unigol gan ganolbwyntio ar ganu mewn cyngherddau ac oratorio yng ngogledd Cymru hyd ddiwedd yr wythdegau. "Yn ystod y nawdegau gwell oedd gennyf ganu mewn côr, ac fe wnes i fwynhau canu efo Côr Merched Glyndwr dan arweiniad Leah Owen, a phrofi llwyddiant a chwmnïaeth".

Gan fod yr Eisteddfod Genedlaethol i'w chynnal yn Ninbych yn 2001 y mae Beryl Jones yn edrych ymlaen at ail-fyw y cyffro o gystadlu ac at grwydro'r maes yn haeddiannol hamddenol.

BERWYN DAVIES, ABERAERON (BAS)

GANED Berwyn Davies yn Ystrad, Rhondda yn 1917. Brodor o Dregaron oedd ei dad, a'i fam o'r Rhondda. Gadael Ceredigion i weithio yn y pyllau glo a wnaeth ei dad, a bu Berwyn Davies, yntau, yn löwr am flwyddyn ar ôl gadael ysgol. Cafodd ei dad ddamwain yn y pwll, a dyna ddod yn ôl i'r wlad i ffermio yn Llwyn-y-groes.

Ar y fferm y bu'r bachgen nes claddu'r tad. Erbyn 1950 yr oedd yn gweithio yn yr hufenfa ym Mhont Llanio ac yn Felin-fach. Byddai'n ennill ei fara drwy yrru lori laeth hyd ganol a gwaelodion Sir Aberteifi a bu wrth y gwaith hwnnw nes gorfod ymddeol ar gyfrif ei iechyd yn 62 oed.

Dechreuodd gystadlu yn blentyn, dan hyfforddiant Madam Cassie Simon ond, er iddo ennill droeon mewn eisteddfodau lleol rhoddodd y gorau i gystadlu yn ifanc a wnaeth o ddim ail-afael nes croesi'r deugain oed. Ei hyfforddwr bryd hynny oedd Mr Edward (Ted) Morgan, Llandysul. Dyna ddechrau cyfnod arall o gerdded eisteddfodau, a bod yn llwyddiannus yn lleol a thaleithiol.

Cafodd ei brofiad cyntaf o lwyfannu yn yr Eisteddfod Genedlaethol yng Nghaerdydd 1960 a dod yn ail. Gerwyn Phillips a'i trechodd. Y flwyddyn ganlynol canolbwyntiodd ei egnïon ar Langollen, a chafodd lwyfan yno. Yn Eisteddfod Genedlaethol Aberafan 1966 yr enillodd am y tro cyntaf ar yr unawd Bas, gan gyflawni'r un gamp yn Eisteddfod Genedlaethol Hwlffordd yn 1972 ac, am y trydydd tro, yn Eisteddfod Genedlaethol Aberteifi 1976.

'Roedd Berwyn Davies bellach yn tynnu at ei drigain oed, a gwyddai mai'r cyfle hwn yn Aberteifi fyddai'r cyfle olaf, o bosib, i ennill y Rhuban Glas. Gan fod lleoliad yr eisteddfod o fewn taro i'w gartref yn Aberaeron teithio yn ôl a blaen yn ddyddiol a wnaeth y flwyddyn honno, a chael y fantais o gysgu yn ei wely ei hun yn hytrach nag mewn lle dieithr. Trydydd tro i Gymro fu hi, a bu'n fuddugol, er mawr lawenydd iddo ef ac i'w lu cefnogwyr yn Sir Aberteifi.

Rhoddodd y gorau i gystadlu am yr eildro. Fel enillwyr eraill o'i flaen trôdd at waith cyngerdd a chlywyd ei lais mawr, cyfoethog cyn belled i ffwrdd â chapel Ty'n Rhos yn Ohio. Cyngerdd oedd hwn a drefnwyd fel rhan o ddathliad disgynyddion yr alltudion a arweiniwyd gan John Jones, Tir Bach, yn y blynyddoedd 1818-1848. Tafarnwr y Ship ym Mhennant, plwyf Cilcennin, oedd John Jones ac aeth rhai degau o Gymry Ceredigion i'w ganlyn i chwilio am decach amodau byw yn ardal De Ohio. Yn 1979 trefnwyd Cymanfa Ganu yng nghapel Cymraeg yr Annibynwyr ger y Rio Grande i gofio'r mudo hwnnw. Berwyn Davies oedd yr unawdydd, ac yn y wasg Americanaidd soniwyd am ei lais persain ac am ei dechneg feistrolgar. 'Roedd yn bresennol hefyd pan blannwyd derwen yn Aberaeron yn ddiweddarach i gofio'r teuluoedd a adawodd yr ardal am America.

Ennill y Rhuban Glas oedd uchafbwynt ei yrfa. Fe'i urddwyd yn yr Orsedd fel 'Berwyn o Aeron' a chanodd Gân y Cadeirio ar dri achlysur. Daliodd ati i ganu, a hynny, yn llythrennol, hyd y diwedd. Fel hyn y bu – trefnwyd cyngerdd yn Aberaeron gan Gôr Lleisiau Aeron ac 'roedd Berwyn Davies yn canu unawd gyda'r Côr. Yn ôl ei weddw, "doedd e ddim yn ei hwyliau gorau o ran iechyd yn gadael y tŷ y noswaith honno. Fel arfer fe fyddwn i wedi bod yn y cyngerdd, ond allwn i ddim mynd. Daeth cnoc ar y drws ar ôl sbel yn gofyn imi fynd draw i'r neuadd, ond 'roedd e' wedi marw cyn imi gyrraedd. Cawsai drawiad ar y llwyfan tra'n canu. Bu farw fel y bu fyw. A dyna ddodes i ar y garreg fedd".

Yn 1986 y bu farw, a'i gladdu ym mynwent Eglwys Ystrad, Felin-fach.

WRECSAM

DAVID CULLEN, LLANBRYN-MAIR (BARITON)

GANED David Hubert Breese Cullen ar fferm Tŷ Canol, Llanbryn-mair, ym Maldwyn ar Ebrill 14, 1950. "Fe etifeddais i fy llais oddi wrth fy nhad, mae'n debyg. Yn ei ddydd byddai yntau'n canu mewn Cyfarfodydd Cystadleuol yn yr ardal, ac mewn ambell eisteddfod leol". Nid oedd iechyd ei dad cystal ag y dymunid. Canlyniad hynny oedd bod David, fel yr hynaf o'r bechgyn, "wedi gorfod colli llawer mwy o'r ysgol nag a ddyliwn i am fod galw am help ar y fferm".

Soar oedd enw capel y Wesleaid yn Llanbryn-mair [Fe'i caewyd yn 1970]. Yno y byddai'r teulu'n addoli ar y Sul, ac yno y canodd David Cullen yn gyhoeddus am y tro cyntaf. "Y cam nesaf oedd canu yng Nghylchwyl yr enwad". Yr eisteddfod gyntaf iddo gystadlu ynddi oedd Eisteddfod Trefeglwys, gan ddod yn ail i fachgen o'r fro honno o'r enw Ian Jones. "A dyna fu'r drefn am rai blynyddoedd – Ian yn gyntaf a finne'n ail. Pan dorrodd fy llais, clywyd fi'n canu yn yr Aelwyd leol gan ŵr a ddaethai i fyw i'r ardal, sef Mr John Roberts, athro wedi ymddeol. Anogodd fi i fynd am hyfforddiant llais at Mr Roderick Jones yn Aberystwyth. Bu'r gwersi hynny yn amhrisiadwy.

Ond y person y bûm yn fwyaf dyledus iddi oedd Mrs Gwyneth Jones, y gyfeilyddes amryddawn o Lanbryn-mair. Cymerodd fi dan ei hadain. Yr oedd y ddawn ganddi i egluro ystyr pob unawd a ganwn i. A chym'rodd hi erioed ddime am ei thrafferth"!

Ni fu'n llwyddiannus yn Eisteddfod Genedlaethol yr Urdd, ond cipiodd y wobr gyntaf bedair gwaith ar yr unawd dan 25 oed yn yr Eisteddfod Genedlaethol.

Ym mhrifwyl Aberteifi 1976 y mentrodd gyntaf ar yr unawd Bas dros 25 oed, "a chefais fy nghuro gan Berwyn Davies, a aeth yn ei flaen i ennill y Rhuban Glas". Y flwyddyn ganlynol, yn Wrecsam, y daeth tro David Cullen i'w hennill.

"Yr oedd y beirniaid yn unfrydol mai fy ymdrechion i yn canu'r 'Credo' (Verdi) a 'Gwynfyd' oedd yn haeddu'r Rhuban Glas. Y fi fyddai'r cyntaf i gydnabod fod cyfeiliant Colin Jones y noson honno wedi bod yn werthfawr iawn. Yr oedd canu mor hanfodol i mi ag anadlu bryd hynny".

Ei ffefrynau fel unawdau oedd 'Eri Tu' (Verdi); 'O Illusion' gan yr un cyfansoddwr, ac aria'r Tywysog Igor (Borodin). "Tipyn o wefr hefyd oedd ennill yn Eisteddfod Ryngwladol Llangollen, a sefyll yng nghanol y blodau. Ond fe gefais i brofiad cyfareddol hefyd un flwyddyn yn Eisteddfod Bwlchtocyn drwy ennill yr unawd dan 25 oed, deuawd dan 25 oed, yr unawd Gymraeg, yr Her Unawd a'r ddeuawd agored. 'Roedd angen bws i gario'r cwpanau adref"! A'r hyn a ddaw i'w gof wrth feddwl am Eisteddfod Llangwm oedd "y brechdanau jam-riwbob blasus a gawn yno".

Bu'n canu deuawd gyda'i wraig Laura ar y rhaglen deledu *Opportunity Knocks* o Fanceinion. 'The Spider and the Fly' oedd y ddeuawd. "Enillon ni ddim, ond yn dilyn y perfformiad fe'n gwahoddwyd ni'n dau i *audition* efo'r Black and White Minstrels. Y ddealltwriaeth oedd y caem ymuno efo nhw dim ond i ni gael tocyn Equity. Ond 'doedd pethe felly ddim yn tyfu ar goed ffebrins yn Llanbryn-mair"!

D. C. oedd ei ffugenw eisteddfodol, [arferai'r arweinydd llwyfan poblogaidd Pat O'Brien alw'r cystadleuwyr ato fel hyn – 'MLJ come this way, W.E. come to me, D.C lle wyt ti'?] ond rhoddodd David Cullen y gorau i gystadlu ac, yn wir, i ganu yn fuan wedi ennill y Rhuban Glas. Ei ateb i'r cwestiwn amlwg 'pam y bu hi felly?' yw'r un gair – "Amgylchiadau".

Y mae amgylchiadau wedi peri i David Cullen arall-gyfeirio ym myd amaeth hefyd. Gwerthwyd y fferm, ac ef yw perchennog parc carafanau enfawr nid nepell o safle castell Owain Cyfeiliog yn Nhafolwern, Llanbryn-mair.

Ei dderbyn i'r Orsedd.

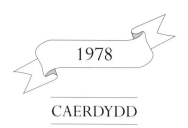

CAERDYDD

MARIAN ROBERTS, BRYNSIENCYN (SOPRANO)

GANED Marian Roberts ym Mryngwran, Môn, fis Chwefror 1939. Fe'i haddysgwyd yn yr ysgol gynradd leol ac yn Ysgol Gyfun Llangefni. Pan oedd hi'n blentyn yr oedd Côr Plant Bryngwran yn gôr ardderchog, a byddai Marian yn canu unawdau gyda'r côr hwnnw. Bu'n canu'n ddiweddarach gyda'r grwp sgiffl, Hogia Bryngwran, a oedd yn hynod o boblogaidd yn eu dydd. Aelodau o'i theulu oedd y rhan fwyaf o'r Hogia. Yr oedd ei mam yn un o 13 o blant a chodwyd parti canu ar yr aelwyd gerddgar honno. Yn dair oed dechreuodd Marian Roberts ganu yn y capel a'r Gylchwyl. Mae hi'n organyddes yng nghapel Preswylfa, Llanddaniel-fab ers deng-mlynedd-ar-hugain a mwy.

T. H. Thomas, ysgolfeistr Gwalchmai, oedd ei hyfforddwr cyntaf. Enillodd Marian ysgoloriaeth Eisteddfod Môn ac ar ôl hynny fe'i hyfforddwyd gan W. Bradwen Jones, Caergybi, i ganu a chanu'r piano. Gweithio mewn siop yr oedd hi cyn priodi, ac yna symud i fyw i Frynsiencyn. Bu am gyfnod heb gystadlu rhyw lawer, ac yna ail-afael ynddi tua diwedd y chwedegau. Aeth am wersi at Madam Ann Hughes Jones yng Nglan Conwy, ac at Peleg Williams yng Nghaernarfon.

Enillodd ar yr unawd Soprano ar ei hymweliad cyntaf â'r Eisteddfod Genedlaethol yn Y Fflint 1969. Dywedwyd amdani, wrth feirniadu'r Rhuban Glas y flwyddyn honno, ei bod hi'n ifanc a bod amser o'i phlaid. Ar ei hwythfed cynnig y daeth hi i'r brig, a hynny yng Nghaerdydd 1978. "'Rydw i'n berson nerfus wrth natur. Mi fuasai'n dda gen i gael yr hyder sydd gen i rwan pan oeddwn i'n ifanc". Pan enillodd hi'r Rhuban Glas ei chaneuon oedd 'Ti ddisglair seraff gwyn' allan o Samson (Handel) a 'Mae Hiraeth yn y Môr' (Dilys Elwyn Edwards). "Pan enillais i yr oedd 'na deimlad o ryddhad. Ac fe safodd y gynulleidfa fawr ar ei thraed i rannu fy malchder".

Ar y pum cynnig cyntaf ar y Rhuban Glas y Soprano fyddai'n gorfod canu'n gyntaf. Soniodd ei gŵr, Jack, wrth drefnwyr yr eisteddfod mai tecach fyddai rhoi'r enwau mewn het. "A phan ddigwyddodd hynny, yr enw cyntaf allan o'r het oedd fy enw i"!

Enillodd Marian Roberts deirgwaith yn Eisteddfod Ryngwladol Llangollen, gan gynnwys y Princeps Cantorum yn 1977. Bu ar lwyfan yr Eisteddfod Genedlaethol 20 o weithiau rhwng popeth, gan gynnwys cystadleuthau oratorio a lieder. "Yr oedd ennill yn yr Eisteddfod Genedlaethol yn uchafbwynt gwirioneddol, ac 'rydw i mor falch bod fy nheulu wedi profi'r balchder a brofais innau".

Cred bellach mai peth da oedd gorfod ymdrechu am nifer o flynyddoedd cyn ennill y Rhuban Glas am fod hynny wedi rhoi'r sbardun angenrheidiol iddi i ddal ati. Wedi ennill, bu'n brysur am rai blynyddoedd mewn cyngherddau. "Mae canu wedi agor drysau imi dros y byd". Yn ogystal â chanu ym mhob capel a neuadd ym Môn, yn Neuadd Albert gyda Mil o Leisiau, ac yn Neuadd Ffilarmonig Lerpwl , fe fu Marian Roberts deirgwaith ar daith i Awstralia a Seland Newydd gyda Chôr Godre'r Aran, a chyda Chôr Meibion Caernarfon i America a Chanada. Bu hefyd yn canu yn Lagos, Nigeria, yn Luxemborg a Brwsel, ac yn Iwerddon "a doedd 'na ddim piano yno. Fe ddaru nhw rowlio *grand piano* i lawr y stryd ac i mewn i'r neuadd. Ac fe gychwynnodd y cyngerdd awr yn hwyr"!

Ei hoff gân yw 'Mi wn mai byw yw Ef fy Mhrynwr' allan o'r Meseia. "Ond wna i fyth anghofio canu'r gân werin 'Hiraeth' yn ddigyfeiliant yn Christchurch. Fe fu eiliad o dawelwch pan orffenais i ganu, ac yna bonllef o gymeradwyaeth".

69

Ymhlith ei hatgofion hefyd y mae *kidology* y cystadleuwyr hynny fyddai'n cuddio er mwyn cael canu'n olaf mewn rhagbrawf. Fe hoffai weld "pob un o'r lleisiau sy'n ymddangos ar y llwyfan am y Rhuban Glas yn cael rhywbeth i gofio'r achlysur, nid yr enillydd yn unig".

1979

CAERNARFON

HUGH IFOR HUGHES, LLANGEFNI (BARITON)

GANED Hugh Ifor Hughes yn Nhy'n-y-gongl, Llanddona, Ynys Môn, ar 28 Awst, 1932, yn fab i chwarelwr, ac o deulu cerddorol Tre Gof ar ochr ei fam. Wedi dyddiau ysgol fe ddechreuodd brentisiaeth yn ffatri Camel Lairds, Biwmares ac, o dipyn i beth, dringo'r ysgol o fod yn beiriannydd nes dod yn rheolwr ffatri yn Llangefni. Yn 1980 newidiodd ei yrfa a mynd yn ddarlithydd mewn peirianneg mecanyddol yng Ngholeg Pencraig, Llangefni. Ymddeolodd yn gynnar, yn 1992, wedi iddo dderbyn llawdriniaeth lem ar ei wddf. Wedi ymddeol, a gwella o'r driniaeth, etholwyd ef yn aelod o Gyngor Tref Llangefni. Fe'i etholwyd yn Faer y Dref 1999/2000.

Dechreuodd ganu yn y capel, a chafodd ei ddyrchafu'n godwr canu yn ei arddegau cynnar."Dechreuais ganu pan oeddwn yn bedair oed. 'Rwy'n cofio cystadlu, yn fy arddegau, mewn cystadleuaeth i rai oedd yn byw o fewn cylch o dair milltir i'r pentref [Llanddona] a heb ennill £2 o'r blaen. O hynny ymlaen, 'roedd cystadlu yn fy ngwaed". Byddai'n cael gwersi am beth amser gan Bradwen Jones, Caergybi, a chan Nest Jones, Porthaethwy. Enillodd ymhob eisteddfod a gynhaliwyd yn y Gogledd a'r Canolbarth yn y chwedegau a'r saithdegau. "Gwefr oedd ennill yr unawd Bariton yn yr Eisteddfod Ryngwladol yn Llangollen yn 1974, a bu cystadlu am y teitl 'Canwr y Flwyddyn' yno yn brofiad arbennig iawn". Ond coron y cystadlu oedd ennill y Rhuban Glas, (a'r wobr bellach yn £15) yn Eisteddfod Genedlaethol Caernarfon 1979.

"Prin ddeufis cyn yr eisteddfod honno mi gefais i lawdriniaeth, ac euthum â'r darnau prawf efo mi i'r ysbyty i'w dysgu. Wedi rhagbrawf yr unawd Bariton ar y dydd Gwener, a chael llwyfan, fe godais tua chwech o'r gloch fore Sadwrn a mynd am dro i Nant y Pandy gyda glannau afon Cefni i anadlu awyr iach y bore. Wedi ennill yr unawd Bariton, a chael y profiad o gerdded y maes fel enillydd cenedlaethol, euthum i ysgol gyfagos i ymarfer ar gyfer y Rhuban Glas gyda David Lloyd Jones, y cyfeilydd. Teimlwn yn flinedig iawn a chefais fynd i dŷ Gofalwr yr ysgol i orffwys ar y gwely. Y peth nesaf a gofiaf oedd iddo fy neffro a dweud 'Dowch, wir Dduw, neu mi fydd y steddfod drosodd'"!

'Roeddwn wedi cysgu'n drwm am dros ddwyawr. Mwynheais y gystadleuaeth, a chofiaf yn dda am y dyrfa'n clapio a gweiddi pan gyhoeddwyd pwy oedd enillydd y Rhuban Glas. 'Roedd llawer o Fonwysion yn y gynulleidfa, a chefais dderbyniad gwerth chweil".

Fe'i derbyniwyd i'r Orsedd yn 1980 dan yr enw 'Huw Dona'. Canodd Gân y Cadeirio ddwywaith – yn Eisteddfod Genedlaethol

Maldwyn 1981 ac ym Môn 1983. Ef a ddewiswyd i ganu Gweddi'r Orsedd ar achlysur cyhoeddi Eisteddfod Genedlaethol Môn 1999, ac eto yn seremoni'r Coroni yn Llanbedrgoch.

Mae'n cofio am un digwyddiad ymhell o 'Fôn dirion dir', pan wahoddwyd ef i ganu yng Nghymanfa Gymraeg Pittsburg, Pensylvania. Cyflwynwyd ef i'r dorf o 5,000 fel 'Hugh Hughes from Llangefni, Anglesey'. O gefn y neuadd daeth llais 'No indeed, he is from Llanddona'! Cyfarfu'n hwyrach y noson honno â'r sawl a waeddodd o'r cefn, sef Tom Pinion Jones, gŵr a faged ym mhentref Llangoed ac a ymfudodd i Ganada 30 mlynedd ynghynt.

Bu Hugh Ifor Hughes yn aelod o Barti Tryfan, Parti Glantraeth a Chantorion Menai. Bellach y mae'n aelod o Gôr Meibion Dinas Bangor. Ef yw llywydd presennol y Côr, a chlywir ei lais yn bloeddio cefnogaeth i dîm peldroed Dinas Bangor yn gyson ar Sadyrnau. Mae ef hefyd yn llywydd Cymdeithas Bro a Thref Ynys Môn, ac yn llywodraethwr Ysgol Corn Hir, Llangefni.

1980

DYFFRYN LLIW

T. J. DAVIES, MELIN-Y-COED (BAS)

Rhoddwyd £15 at gost Medal Goffa David Ellis yn Eisteddfod Genedlaethol Dyffyrn Lliw gan Cellan Jones, enillydd y Rhuban Glas yn 1966.

GANED Thomas Jones Davies, neu Tom Bryniog fel yr adwaenir ef yng Ngorsedd, ar 30 Tachwedd, 1935, ym Mryniog Uchaf, Melin-y-coed, ger Llanrwst. Gadawodd ysgol Central, Llanrwst, pan oedd yn bymtheg oed i weithio adref ar y fferm. "Nid oedd gen i fawr o ddiddordeb mewn cerddoriaeth yn yr ysgol, ond bu'n rhaid imi ddysgu'r sol-ffâ a meistrioli'r 'modulator' gartref gyda nhad. 'Roedd yna hefyd wˆr dawnus o'r enw Johnny Jones yn godwr canu yn y capel, ac yn arwain holl weithgarwch cerddorol y pentref, a fyddai'n fy ysgogi i wneud defnydd o'm llais. Ef, a gwraig y Parchedig Byron Hughes, y gweinidog, a'm tynnodd i mewn i weithgarwch pobl hˆyn. Coffa da am y wraig honno yn cydio yn fy llawes a'm tywys i'r festri i ganu bas efo criw o'r carolwyr ar ôl y gwasanaeth ar nos Sul".

'Roedd tad Tom Bryniog yn ffrindiau gyda Bob Jones, Pandy Tudur, tenor enwog yn ei ddydd. "'Dwi'n cofio nhad

yn dweud wrth Bob Pandy fod 'yr hogyn 'ma yn gwneud rhyw dwrw rhyfedd hyd y fan 'ma'". A'r ateb oedd cael ei anfon at hyfforddwr y tenor, sef Ann Hughes Jones yng Nglan Conwy. "Yn ddiarwybod rywsut, yno y cefais fy hun; yn ddwy-ar-bymtheg oed, yn chwys domen, a'm cefn ar bared bron mewn gwewyr".

O edrych yn ôl, fe sylweddola Tom Bryniog fod y gwersi wedi newid cwrs ei fywyd "gan ei bod yn bersonoliaeth gadarn, yn gorfforol, yn ysbrydol ac yn gerddorol. Ymlaen o gam i gam yr âi'r gwersi cyn cael caniatâd i gystadlu, a digwyddodd hynny am y tro cyntaf, ar y gân 'Cwm Llewelyn' (William Davies) yn Eisteddfod Melin-y-coed. "Fe chwaraeodd y cyfeilydd, Davy Jones, Llanfairfechan, y rhagarweiniad sawl tro cyn i mi fod yn ddigon hunan-feddiannol i daro'r nodyn".

Bu'n llwyddiannus ar yr unawd dan 25 oed yn Eisteddfod Butlins yn y pumdegau, gan ennill gwobr gyntaf o £5. "Y dydd Llun canlynol, 'roedd fy nhad a minnau yn trin gwair gyda phigffyrch. Yn reit sydyn plannodd ei bigfforch yn y ddaear a gofyn 'Faint o bres gês ti tua Butlins 'na?' Pum punt, meddwn innau. 'Beth ar y ddaear wnei di efo'r fath bres?' meddai yntau.

Cystadlu fu hi wedyn, a chael cyfle i ymuno â pharti cyngerdd Richie Thomas. Enillodd y Princeps Cantorum yn Eisteddfod Ryngwladol Llangollen 1969 ac enillodd Dlws Coffa Gwilym Gwalchmai yn Eisteddfod Powys yn Nyffryn Banw yn 1972. "Colled mawr i fyd y gân oedd marwolaeth Gwilym Gwalchmai. Bu'n athro llais, ac yn feirniad craff a charedig. Yr oedd Gwilym yn athro yng Ngholeg Cerdd Manceinion. Pennaeth yr adran oedd Frederick Cox, gŵr a fu'n ddisgybl i'r Eidalwr, Pertile, a hwnnw yn ei dro yn athro i neb llai na Gigli". Tua diwedd y saithdegau daeth i gysylltiad â Colin Jones, Rhosllannerchrugog, "a chefais gymorth amrhisiadwy ganddo". Bu'n ddyledus hefyd i Jennie May Ellis, cyfeilydd Côr Meibion y Brythoniaid.

Hap a damwain oedd bod yn Nyffryn Lliw. Teithiodd ef a'r teulu yno mewn hen garafan, ac oherwydd y tywydd gwlyb, cael-a-chael oedd hi i gyrraedd. Yr oedd wedi dysgu'r un unawdau ar gyfer Eisteddfod Genedlaethol Aberafan 1966, ond yn 1980 y daeth i'r brig ac ennill y Rhuban Glas.

"Bu sawl côr yn garedig iawn gan fy ngwâdd fel unawdydd i deithio gyda hwy i lawer gwlad. Cefais fy nghyfeirio o'r dechrau i fyd oratorio, a hyd heddiw yng nghwmni y meistri cerdd cerdd mawr hynny y câf y boddhad eithaf. Mae'n drueni nad oes 'na ond ychydig o gorau cymysg ar ôl a fedr berfformio oratorio. Mae Cymru yn dlotach o lawer o'r herwydd, ac unawdwyr ifanc yn colli'r profiad. Soniodd Ceinwen Rowlands [y soprano] wrthyf fod bron drigain o gorau cymysg yr arferai hi ganu gyda nhw wedi peidio â bod".

1981

GWION THOMAS, BETWS BLEDRWS (BARITON)

Cynyddwyd y wobr ariannol i £25, a dyma ddechrau'r cyfnod
y rhoddwyd y wobr ariannol yn eisteddfodau'r Gogledd
gan Ann ac Elwyn Griffiths, Llawnda

GANED Gwion Thomas yng Ngorseinon, lle'r oedd ei dad yn weinidog gyda'r Annibynwyr, ar 17 Mehefin 1954. Y mae'n nai i Thomas Llyfnwy Thomas. Yn blentyn, yr oedd atal dweud ar Gwion. Fe fyddai'n mynd at Mrs Myra Rees am wersi canu, ac 'roedd hyn yn fath o therapi iddo. Pan oedd yn unarddeg oed symudodd y teulu i Dregaron a chanai yno gyda Chôr Plant o dan arweiniad Mrs Ethel Jones.

Gadawodd ysgol i weithio i Fanc National Westminster yn Nolgellau, Llanrwst, Caernarfon, a Stoke-on-Trent. Yn 1980 fe'i derbyniwyd yn fyfyriwr yng Ngholeg Cerdd Brenhinol Manceinion, a rhestrir ymhlith ei athrawon cynnar May Walley, Ellis Keeler, Patrick McGuigan a Brian Hughes. Ar ddiwedd ei flwyddyn gyntaf yn y coleg penderfynodd gystadlu yn yr Eisteddfod Genedlaethol "am dipyn bach o sbort" a chael syndod o sylweddoli yn rhagbrawf yr unawd Bariton fod ganddo siawns o ennill. Gwnaeth hynny ar y bore Sadwrn.

Ar y nos Sadwrn, ac am-yn-ail â chystadleuaeth y Corau Cerdd Dant, y cynhaliwyd cystadleuaeth y Rhuban Glas. Canodd Gwion Thomas yr aria 'Dy Gamp a Roes' allan o Samson (Handel), ac, o'i ddewis ei hun, 'Y Bardd' (Mansel Thomas). Y beirniaid ym Machynlleth oedd John Stoddart, Maureen Guy, Dilys Elwyn Edwards, Richard Elfyn Jones a Gerallt Evans. Dyfarnwyd y Rhuban Glas i'r Bariton, y myfyriwr 26 oed oedd bellach yn byw ym Metws Bledrws, ger Llanbedr Pont Steffan.

Drannoeth, "ar ôl noson go wyllt", yr oedd Gwion Thomas yn dreifio, yng ngwmni dau neu dri o'i gyd-fyfyrwyr a ddaeth i'w gefnogi yn yr eisteddfod, i Ffrainc ar wyliau. Ond fe fuo nhw bron â cholli'r cwch, yn llythrennol, "am fod y ffôn yn canu o hyd ac o hyd yn y tŷ".

Yn ôl yn y coleg ym Manceinion fe enillodd Gwion Thomas wobrau ac ysgoloriaethau i'w alluogi i barhau â'i astudiaethau. Yna datblygodd ei yrfa broffesiynol yn canu gyda Chwmni Opera Cenedlaethol Cymru, Cwmni Opera Swydd Caint, Opera North, English National Opera , Cwmni Opera Theatr Dulyn, Scottish Opera, a Music Theatre Wales ymhlith eraill. Rhwng misoedd Medi 1999 a Chwefror 2000 bu'n teithio'r wlad gyda chwmni Opera Box yn chwarae nifer o rannau gwahanol yn opera Alun Hoddinott *The Tower*.

Bu'n brysur hefyd ym myd yr oratorio – St. Matthew Passion, Requiem (Brahms), Carmina Burana, Confitebor tibi, Requiem (Fauré), St John Passion, ac Israel in Egypt (Handel). Er ei fod yn ennill ei fara menyn yn bennaf dros Glawdd Offa, ac yn byw yng Nghaerlŷr, y mae Gwion Thomas yn gwerthfawrogi pob cyfle i ddychwelyd i Gymru i ganu ac i feirniadu. Ef a ddewiswyd i ganu Cân y Cadeirio yn Eisteddfod Genedlaethol Abertawe 1982, a bu'n beirniadu yn y Brifwyl.

Mae'r adolygiadau a gyhoeddir amdano yn y wasg yn sôn am "lais cyfoethog a dehongli deallus", "dehongliad ystyrlon", "mae'n canu gyda dirnadaeth ddramatig ac ymdeimlad llawn mynegiant", ac wedi canu 'Elias' yng Nghorwen fel unawdydd gyda Chôr Dyfrdwy a Chlwyd fe ddywed y *Liverpool Daily Post* iddo ganu "gyda dwyster angerddol ond heb awgrym o sentimentaliti".

Pan nad yw'n canu, y mae Gwion Thomas yn dysgu'n rhan-amser ar staff y Conservetoire yn Birmingham. Y noson yr enillodd y Rhuban Glas ym Machynlleth fe'i llongyfarchwyd gan Richard Rees (Rhuban Glas 1952 a1955), a ofynnodd iddo 'Ble ydech chi wedi bod?' Y cwestiwn iddo ef ei hun oedd, 'Ble ydw i am fynd o'r fan yma fel canwr proffesiynol?'

1982

ABERTAWE

EIRWEN HUGHES, PENRHYN-COCH (SOPRANO)

Medal Goffa David Ellis (Y Parchedig F. M. Jones [Cadeirydd y Pwyllgor
Gwaith] a Mrs Jones) a £25 (£10 Cronfa David Ellis).

GANED Eirwen Hughes yn Lledrod, Ceredigion, yn 1948.
Mynychodd ysgol gynradd y pentref gan gystadlu yn y cyfnod
hwnnw mewn ambell eisteddfod leol. Yn ei chyfnod yn Ysgol Uwchradd
Tregaron byddai'n cyfeilio i gôr yr ysgol, a chafodd gyfle i deithio gyda'r
côr i Ddenmarc. Bu'n fyfyrwraig yng Ngholeg Cerdd a Drama Cymru,
Caerdydd, ac yna yng Ngholeg Addysg Cyncoed. Achlysurol fu'r
cystadlu bryd hynny, ond cafodd lwyddiant yn eisteddfodau
Pantyfedwen ym Mhontrhydfendigaid ac yng Ngŵyl Fawr Aberteifi.

Fe'i penodwyd i swydd athrawes yn Lledrod, ac wedi priodi aeth i
fyw ar fferm Pencwm ym Mhenrhyn-coch ger Aberystwyth. Yn y
saithdegau yr oedd tri o blant i'w magu ar yr aelwyd ac, o'r herwydd,
prin oedd y cyfle i gystadlu. Yna daeth Hazel Holt yn diwtor llais a
chanu i Goleg y Brifysgol, Aberystwyth, ac o dan ei hyfforddiant hi
dechreuodd Eirwen Hughes gerdded eisteddfodau unwaith eto.

"'Roedd y darnau prawf i'r Soprano yn yr Eisteddfod Genedlaethol
yn Abertawe 1982, sef 'Yr Adyn Brwnt' allan o Fidelio (Beethoven) ac
'Aderyn Crist' (Dilys Elwyn Edwards) yn gweddu i'm llais, ac 'roedd
Hazel Holt yn awyddus iawn imi roi cynnig arni. Felly, rhaid oedd
ufuddhau. Er bod y rhagbrawf am naw o'r gloch y bore 'roedd fy llais yn
reit glir. Bûm yn ymarfer y 'top C's' yn y car ar fy ffordd i lawr, ac er i
hynny fod yn boenus i'r gŵr, oedd yn dreifio, fe fu'r ymarfer o fudd
mae'n rhaid oherwydd fe gefais lwyfan.

Wedi teirawr o aros am y gystadleuaeth fe'm cefais fy hun yn cael
hwyl arni ar y llwyfan mawr, a theimlwn fod y nodau uchel a'r
rhediadau cerddorol yn bur esmwyth. Aros am y feirniadaeth oedd

waethaf, a theimlad o ryddhad ac o orfoledd oedd clywed Eileen Price yn fy nghyhoeddi'n fuddugol".

Wedi cyfarfod â'i chyfeilydd i gystadleuaeth y Rhuban Glas, Bryan Davies, penderfynodd ganu 'Ynys y Plant' (E. T. Davies) fel hunanddewisiad "am ei fod yn wrthgyferbyniad ardderchog i'r gân o'm hadran. Unwaith yr oeddwn i ar y llwyfan teimlwn yn hollol gartrefol. Yr oedd ymateb y gynulleidfa yn wresog, a minnau yn yr hwyl i ganu hanner dwsin o ganeuon. Ond rhaid oedd bodloni ar ddwy i wneud argraff ffafriol ar y beirniaid. 'Doedd y canlyniad ddim yn bwysig ar y pryd, ond pan ddaeth, trodd diwrnod a ddechreuodd yn un hamddenol a thawel i fod yn noson o fwrlwm ac o hapusrwydd. Rhaid cyfaddef, wrth edrych yn ôl, imi gael y cyfan yn brofiad gwefreiddiol.

Ar ôl cyfweliad ar y radio dyma droi am adref. Hwn oedd y tro cyntaf i John [ei gŵr] fod yn bresennol pan oeddwn i'n cystadlu. Hwyrach mai ei bresenoldeb a'i ddylanwad ef oedd yn rhannol-gyfrifol am y llwyddiant".

Trefnwyd dwy noson o ddathlu yn ei chynefin, y naill gan Ferched y Wawr Penrhyn-coch, a'r llall yn Lledrod pan gyflwynwyd iddi lyfr rhwymedig o arias operatig yn rhodd. "Rhaid oedd chwerthin, oherwydd doedd Elen, yn ferch chwe mlwydd oed bryd hynny, ddim yn deall pam yr holl ffws am ennill y Rhuban Glas a dim sylw wedi ei wneud o'r ffaith bod ei thad wedi ennill raffl ar stondin Undeb Amaethwyr Cymru yn yr eisteddfod yn Abertawe"!

Cafodd Eirwen dymor prysur o ganu mewn cyngherddau yn dilyn y fuddugoliaeth yn 1982, gan gynnwys taith i'r Taleithiau Unedig fel unawdydd gyda Chôr Meibion Aberystwyth. Yna, fe ganolbwyntiodd ar ffurfio Côr Merched Ceulan a chael pleser yn hyfforddi ac arwain a chyfeilio i'r parti amryddawn hwnnw.

GLENYS ROBERTS, BODFARI (SOPRANO)

Cynyddwyd y wobr ariannol o £25 i £50, a bu felly am bum mlynedd

GANED Glenys Roberts [Earnshaw ar ôl priodi] ar fferm Lleweni, Bodfari, ger Dinbych, Dyffryn Clwyd, yn unig blentyn i Ivor ac Alice Roberts. Ar ochr ei mam y daeth iddi'r dalent gerddorol, gyda nifer o'r teulu'n gantorion medrus. Daeth y natur gystadleuol oddi wrth ei thad, ei hun yn enillydd prif wobr Prydain Fawr am aredig.

Dechreuodd Glenys Roberts ganu yn y capel a'r Band of Hope pan oedd hi'n chwech oed, ac enillodd lawer o wobrau mewn eisteddfodau lleol. Ei hathrawes Cerdd yn Ysgol Ramadeg Dinbych oedd Catherine Evans [Watkin bellach], a bu hi'n help i feithrin y ddawn oedd gan y gantores ifanc. Daliodd Glenys Roberts ati i ganu ac i gystadlu drwy'r cyfnod hwnnw yn yr ysgol, ac ymunodd â Pharti'r Nant, dan arweiniad Glyndwr Richards [enillydd cenedlaethol ar adrodd ac ar gerdd dant]. Gwilym Thomas, Y Rhyl, oedd ei hathro canu ar y pryd.

Aeth yn ei blaen i Goleg Cerdd a Drama Cymru, Caerdydd, gan astudio gyda'r tenor enwog Gerald Davies. Odd'yno fe aeth hi i Goleg Hyfforddi Athrawon Cyncoed, Caerdydd. Ar ddiwedd ei gyrfa golegol fe'i penodwyd yn athrawes yn Ysgol Gwaelod-y-garth. Yn y cyfnod hwnnw nid oedd yn canu cymaint fel unawdydd, ond yr oedd hi'n aelod o Gantorion Ardwyn dan arweiniad Alun John [côr-feistr Côr yr Eisteddfod Pen-y-bont ar Ogwr 1998].

Wedi priodi â Tony Earnshaw fe aeth Glenys i fyw i Lundain, a dechreuodd ganu o ddifrif eto. Aeth i astudio yng Ngholeg Cerdd y Drindod, Llundain, a chyda'r hyfforddwr Oliver Broome. Enillodd y wobr gyntaf ar yr unawd Mezzo-soprano yn Eisteddfod Genedlaethol Y Fflint 1969, ac ennill eto ar yr unawd Soprano yn Eisteddfod Genedlaethol Caernarfon 1979, a Dyffryn Lliw 1980. Dyna'r flwyddyn hefyd yr enillodd hi'r Princeps Cantorum yn Eisteddfod Ryngwladol Llangollen.

Yn 1983 enillodd y Rhuban Glas yn Eisteddfod Genedlaethol Môn. "Diwrnod arbennig o hir oedd dydd Sadwrn ola'r eisteddfod. 'Roedd rhagbrawf yr unawd Soprano am naw o'r gloch y bore; y prawf terfynol yn y prynhawn a chystadleuaeth y Rhuban Glas yn yr hwyr. Fe ddaeth y dyfarniad ychydig cyn hanner-nos. Bu'n ddiwrnod blinedig, ond hapus iawn".

'Roedd ennill y Rhuban Glas yn hwb i ddechrau ei gyrfa broffesiynol. Erbyn hyn mae hi wedi canu mewn llawer iawn o gyngherddau, oratorio ac opera ledled Prydain ac mewn nifer o wledydd tramor. Darlledodd droeon ar radio a theledu. Y mae hi hefyd yn aelod o'r corws ychwanegol yn y Tŷ Opera Brenhinol, Covent Garden, ac wedi cael y pleser o ganu ar yr un llwyfan â chantorion mwyaf y byd. Ar hyn o bryd mae'n aelod o'r

Garden Consort, sef pedwar o gantorion o Covent Garden, ac mae'n cofio'r pleser a gafodd pan oedd hi'n aelod o'r grŵp 'Melodi', gyda Gaenor Howells, Gwawr Owen a Huw Rhys Evans.

Mae bywyd Cymraeg Cymry Llundain wedi chwarae rhan flaenllaw yn ei bywyd. Mae'n ymddiriedolwr yng nghapel Annibynnol Harrow, ac yn aelod o Glwb Cymraeg Llundain.

Mae meibion Glenys a Tony Earnshaw, Richard a Matthew, y ddau yn dilyn gyrfa gerddorol. Daw'r teulu yn ôl i Gymru mor aml â phosib, a chan iddynt brynu tŷ yn Ninbych yn ddiweddar mae Glenys, yn arbennig, yn edrych ymlaen at Eisteddfod Genedlaethol 2001 yn Nyffryn Clwyd. Fe'i derbyniwyd i'r Orsedd yn 1984 dan yr enw Glenys Lleweni.

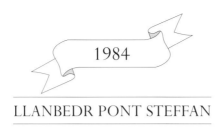

1984

LLANBEDR PONT STEFFAN

MALDWYN PARRY, PEN-Y-GROES (BAS)
[GWELER TUD. 40]

RHODDWYD y tlws a'r wobr ariannol gan Gymdeithas Adeiladu Cheltenham & Gloucester. Pan enillodd Maldwyn Parry yn Llanelli 1962 yn yr adran Bariton y daeth yn fuddugol. Ef, hyd yma, yw'r olaf o'r rhai sydd wedi ennill y Rhuban Glas ddwywaith.

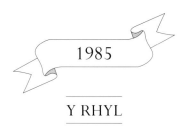

1985

Y RHYL

ANN DAVIES, NERCWYS (Mezzo-Soprano)

Yn rhaglen swyddogol Eisteddfod Genedlaethol Y Rhyl 1985 fe welir:
'I enillydd y Gystadleuaeth, ac yn ychwanegol at y Rhuban Glas a'r wobr
ariannol: Cwpan er cof am y diweddar Gwilym Thomas. I'r pum ymgeisydd
arall a ymddangosodd ar y llwyfan y cyflwynir Medal Goffa Gwilym Thomas.
Y Cwpan a'r Medalau'n rhoddedig gan gyn-ddisgyblion y diweddar
Gwilym Thomas, Eglwys St. John, Y Rhyl, a nifer dda o gyfeillion
sydd â choffa da amdano'.
Yr unawdwyr a ymddangosodd ar y llwyfan oedd
Odette Jones (Soprano), Ann Davies (Mezzo-Soprano), Haf Wyn (Contralto),
Glyn Williams (Tenor), Tom Evans (Bariton) ac Alun Jones (Bas).

GANED Ann Davies [Davies-Edwards bellach] yng Nghei Cona, Sir y
Fflint. Wedi addysg yn Ysgol Maes Garmon, yr Wyddgrug, Coleg
Cerdd Manceinion ac yna'r Coleg Cerdd Brenhinol yn Llundain fe
ymsefydlodd hi yn Nercwys. Ann Bro Nercwys yw ei henw yng
Ngorsedd. Cyn ennill y Rhuban Glas yr oedd hi wedi ennill Gwobr
Goffa Osborne Roberts yn Eisteddfod Genedlaethol Caernarfon 1979,
a'r Princeps Cantorum yn Eisteddfod Ryngwladol Llangollen.

Yn Y Rhyl, fe enillodd yr unawd Mezzo-Soprano ar y dydd Gwener
"felly, ychydig iawn o amser oedd 'na i bendroni am fy hunan-ddewisiad
ar gyfer y Rhuban Glas ar y nos Sadwrn. Ac ar ôl gwneud y
penderfyniad, fe newidiais fy meddwl!

'Roedd y noson yn un urddasol, a phawb o'r cantorion mewn gwisg
ffurfiol. Oherwydd hynny yr oedd yno fwy o awyrgylch cyngerdd
mawreddog na chystadleuaeth. Yn y pafiliwn anferth eisteddai torf
fawr, ddisgwylgar. Peth braf i mi oedd bod yn weddol agos i gartref, a
gweld llawer o wynebau cyfarwydd, gan gynnwys y cyfeilydd, Colin
Jones".

'Roedd yr unawdwyr yn canu mewn blociau o dri am-yn-ail â'r tri chôr Cerdd Dant. Wedi tynnu'r byrra'i docyn y Mezzo-Soprano a ganodd gyntaf.

"Fe gefais i fwynhad yn perfformio yn yr hen bafiliwn ar y noson. Yr oedd yno ryw naws arbennig, boneddigaidd. 'Ffarwel o Lwyn' (Adieu Forêts) allan o Jeanne D'Arc (Tchaikovsky) oedd y gân o'm hadran i, ac fe genais i'r hen gân safonol a phoblogaidd 'Tyrd Olau Mwyn' (D. Pughe Evans) fel hunan-ddewisiad.

Un frawddeg, fwy neu lai, o ddyfarniad a gafwyd gan Dr George Guest. Yn naturiol 'roedd enillydd gweddol leol yn cael cymeradwyaeth frwd gan y gynulleidfa".

Astudiodd Ann Davies gyda Colin Jones, Rhosllannerchrugog, ac yn y Coleg Cerdd Brenhinol yn Llundain. Wedi ennill y Rhuban Glas fe lifodd y gwahoddiadau iddi ganu mewn cyngherddau ac oratorio. Gwnaeth ei hymddangosiad cyntaf yn Llundain ar lwyfan Neuadd Albert, ac ymhlith yr uchafbwyntiau eraill a restrir ganddi y mae datganiadau yn Neuadd Wigmore, Llundain ac yn Neuadd Frenhinol Ffilarmonig, Lerpwl. Un o'r pethau sy'n rhoi ias iddi yw canu gyda cherddorfa lawn, a daeth y profiad hwnnw i'w rhan ar sawl achlysur. Darlledodd yn fynych ar radio a theledu yn eu tro.

Y mae hi hefyd wedi mwynhau "cyfarfod â phobl 'y pethe' yng nghefn gwlad Cymru". Ar y Sul y mae hi'n aelod ffyddlon o gapel Soar, Nercwys, gan gymryd ei thro wrth yr organ.

Fe'i derbyniwyd i'r Orsedd yn Eisteddfod Genedlaethol Abergwaun 1986, ac mae'n dal i ddiddori cynulleidfaoedd ar lwyfannau cyngerdd. "Ond daeth cystadlu i ben y noson honno yn Y Rhyl pan enillais i'r Rhuban Glas. Mae'r fedal a chwpan arian hardd – Gwobr Goffa Gwilym Thomas (rhoddedig gan Mrs Gwyn Jones) – gefais i ar y noson yn cael eu trysori gen i, ac yn ennyn atgofion melys".

TOM EVANS, BRITHDIR (BARITON)

Yr oedd y wobr ariannol o £50 yn rhodd Mrs E. G. Davies a
Mrs M. Bartlett, Abergwaun, (er cof am Elvet Davies – Elfed y Glôg).

FFERMWR o Feirionnydd yw Tom Evans, sydd lawn mor adnabyddus
wrth enw'r fferm, Gwanas – a Tom Gwanas yw ei enw yng
Ngorsedd. Fe'i ganed, yn 1939, mewn cwm gerllaw'r Gwanas, ag iddo
enw llawn mor rhamantus, sef Cwm Hafod Oer. Symudodd y teulu i
ffermio'r Gwanas yn 1947. Y gaeaf hwnnw oedd 'gaea'r eira mawr', a
bu'n dymor colledus iawn i'r teulu. Fe gollwyd hanner y stoc, rhwng y
lluwchfeydd ac yna'r llifogydd, fel y meiriolai'r eira.

Bwriodd ei brentisiaeth yn yr Eisteddfod Genedlaethol ar yr unawd
Bariton o dan 25 oed, a'i atgof am y gystadleuaeth honno oedd fod dros
ddeg-ar-hugain wedi cystadlu yn y rhagbrawf, a bod dau a gafodd lwyfan
wedi mynd yn eu blaen i ganu'n broffesiynol.

Yn Eisteddfod Genedlaethol
Rhydaman 1970 y mentrodd
gyntaf ar yr unawd agored i'r
Bariton. Daeth yn gyfartal-gyntaf
gyda Nigel Hopkins. Enillodd yr
unawd Bariton yn Eisteddfod
Genedlaethol Bro Dwyfor 1975,
"ac Alun Jones a finnau yn cael
dwy borc pei anferth gan Dafydd
Glyn [un o stiwardiaid ffyddlona'r
Eisteddfod] cyn canu ar y Rhuban
Glas. Mae'n debyg eu bod yn dal
yn yr hen Bafiliwn yn rhywle"! Bu
tipyn o ddadlau am ddiogelwch y
Pafiliwn hwnnw yng Nghricieth,

a gwelwyd pafiliwn newydd pan ymwelodd y Brifwyl nesaf â'r Gogledd [Wrecsam 1977]. Ond yn y De, yn Abertawe 1982, yr enillodd Tom Evans yr unawd Bariton am yr eildro. Yr oedd gwell, llawer gwell, i ddod! Enillodd eto, yn ei adran, ar Ynys Môn 1983, ac yn Y Rhyl 1985 fe enillodd yr unawd Bariton a'r Lieder.

1986 oedd y flwyddyn fawr, ac Abergwaun y lleoliad, pan enillodd ar yr unawd Oratorio, yr unawd Bariton, ac ennill hefyd y Rhuban Glas ar y nos Sadwrn. "'Roedd y pleser o ennill y Rhuban Glas yn fwy o lawer nag a ddisgwyliwn i, a hefyd yr hyn a ddaeth yn ei sgîl". Yr unawd o'i adran oedd 'Prolog Pagliacci' (Leoncavallo), a'i hunan-ddewisiad oedd 'Cân, utgorn cân' (W. Bradwen Jones).

"Cefais gyngherddau gwych am rai blynyddoedd wedyn, gan gynnwys dau yn Neuadd y Brangwyn, Abertawe – un gyda Margaret Williams, a'r flwyddyn ganlynol gydag Isobel Buchanan". Y tro olaf y canodd yn Neuadd y Brangwyn oedd gyda Chôr Godre'r Aran yn 1990 "ac ar ddiwedd y cyngerdd cefais y newydd fod ein merch, Glesni, wedi ei lladd yn Thailand".

Mae'n cofio canu yn Neuadd y Dref, Birmingham, gan rannu llwyfan efo Côr Meibion Llanelli a chyda Rebecca Evans. "Mewn noson fawr yn Eisteddfod Bro Madog cefais rannu'r llwyfan efo Bryn Terfel. A chael canu, wedyn, yn Neuadd Albert yn Llundain ac Eirian James yn seren y noson".

Ar lwyfan rhyngwladol Llangollen enillodd Tom Evans yr unawd Bas/Bariton deirgwaith ac ennill y Princeps Cantorum ddwy waith. Bu ddwywaith yn Hong Kong mewn cyngherddau Gŵyl Ddewi, ac ar yr un perwyl i Nigeria. Bu ar wyth o deithiau tramor Côr Godre'r Aran, côr y bu'n aelod ohono er 1969. "Am gyfnod o rhyw bedair blynedd bu tri o'r côr yn crwydro Cymru fel Y Tri Baswr. Y baswr trwm gwreiddiol oedd Alun Jones [gweler y portread nesaf, Bro Madog 1987] o'r Bala, hyd nes ei farw yn 1998. Trebor Lloyd Evans yw'r baswr canol, ac mae Iwan Parry [gweler Bro Delyn 1991] wedi ymuno efo ni rwan".

Gofid i Tom Evans yw fod eisteddfodau lleol, ar ddechrau'r milflwydd hwn, "yn mynd ar i lawr, a llai o gantorion yn dod i'r golwg bob blwyddyn. Ydi'r Brenin Mawr wedi stopio rhoi lleisiau i'r bobl ifanc"?

1987

BRO MADOG

ALUN VAUGHAN JONES, Y BALA (BAS)

MAB fferm Bryn Ifan o ardal Arennig, Y Bala, oedd Alun Jones. Fe'i ganed yn 1945, a chafodd ei addysg gynnar yn Ysgol Gynradd Capel Celyn (a foddwyd dan ddŵr Llyn Tryweryn) ac yna yn Ysgol Ramadeg y Bechgyn yn Y Bala. Ni chafodd addysg gerddorol o gwbl tra'n yr ysgol. Gadawodd yr ysgol yn bedair-ar-ddeg oed i fynd adref i weithio ar y fferm.

Ni chanai lawer bryd hynny, ar wahân i ganu mewn côr lleol. Ymunodd â Chôr Cymysg Trawsfynydd yn 1967, ar gyfer Eisteddfod Genedlaethol Y Bala, a dyna pryd y dechreuodd ymddiddori a chanu ar ei ben ei hun. Y tro cyntaf iddo gystadlu oedd yn Eisteddfod y Ffermwyr Ifanc yn Nolgellau, lle bu'n fuddugol amryw o droeon. Yn Eisteddfod Genedlaethol Dyffryn Clwyd 1973 bu'n cystadlu ar yr unawd Bas, ond heb lwyddiant y tro hwnnw.

Bu'n ffodus o gyfarfod â Colin Jones, oedd yn cyfeilio y flwyddyn honno, a chafodd gynnig mynd i gael hyfforddiant ganddo. Yn dilyn hyn, cafodd gynnig cwrs pedair blynedd yn y Coleg Cerdd Brenhinol ym Manceinion, ond gwrthod a wnaeth, a mynd adref yn ôl i ffermio, ac yn ddiweddarach i weithio i'r Bwrdd Dŵr. Yr oedd yn well ganddo ganu er mwyn pleser yn hytrach na gorfod gwneud hynny'n ddyddiol.

Ar ôl derbyn hyfforddiant Colin Jones am ddeuddeng mlynedd fe aeth Alun Jones at Eirian Owen, Dolgellau, ac ymuno â Chôr Godre'r Aran dan ei harweiniad hi.

Bu Alun Jones yn fuddugol ar yr unawd Bas yn yr Eisteddfod Genedlaethol saith o weithiau gan goroni'r cyfan yn Eisteddfod Genedlaethol Bro Madog lle'r enillodd y Rhuban Glas. Oherwydd fod eisteddfod y prynhawn wedi rhedeg yn hwyr y flwyddyn honno 'roedd hi'n wyth o'r gloch ar sesiwn y nos yn dechrau.

Y chwech unawdydd oedd Iona Stephen Williams [gweler Pen-y-bont ar

Ogwr 1998], Tom Evans [Abergwaun 1986], Ruth Aled, Llansannan (Mezzo-Soprano), Timothy Evans, Llanbedr Pont Steffan (Tenor), Delyth Hopkins Evans [Castell Nedd 1994] ac Alun Jones.

Fe ganodd ef 'Terfynau Dyn' (Schubert), a 'Mab y Môr' (W. Bradwen Jones) fel hunan-ddewisiad. Y beirniaid oedd T. Gwynn Jones, Mary Lloyd Davies, Margaret Williams, John Stoddart a Kenneth Bowen a gyhoeddodd mai'r Bas oedd yn fuddugol, a bu parti mawr gyda ffrindiau yn Nhrawsfynydd wedyn a digon o ganu trwy'r nos.

'Roedd galw mawr am wasanaeth Alun Jones wedi'r fuddugoliaeth honno. Bu gyda Chôr Meibion Prysor i Lydaw; gyda Chôr y Brythoniaid i'r Amerig; yn un o bedwar ar ymweliad â Nigeria; gyda Chôr Meibion Ardudwy i'r Almaen, a chyda Chôr Godre'r Aran ar deithiau tramor cyn belled ag Awstralia.

Cafodd wahoddiad hefyd fel unawdydd gwâdd gyda chôr y Mil o Leisiau yn Neuadd Albert, Llundain, a chofir gan bawb a oedd yno am "y *standing ovation* a'r gymeradwyaeth faith" a ddilynodd ei gyflwyniad o'r gân negroaidd 'I'se Weary of Waiting'.

Cyn i ludded ei afiechyd ei lethu fe ffurfiodd bartneriaeth gyda dau arall o brif gantorion Côr Godre'r Aran, sef Tom Evans a Trebor Lloyd Evans, i greu'r Tri Baswr. Ymddangosiad olaf y triawd hynod boblogaidd hwnnw oedd yn y Capel Mawr, Dinbych, ar achlysur lansio Eisteddfod Genedlaethol Sir Ddinbych a'r Cyffiniau 2001.

Colli'r frwydr yn erbyn ei afiechyd a wnaeth Alun Jones, a bu farw ar 1 Medi, 1998. Ar ei garreg fedd gwelir cwpled gan Alwyn Siôn:

O'i lafur, ac o'i lwyfan,
Aeth gwerinwr; gŵr o gân.

1988

CASNEWYDD

DAVID LLOYD, PONTEDEN, SWYDD CAINT
(BARITON)

Codwyd y wobr ariannol i £75,
rhoddedig gan Gymdeithas Cymry, Casnewydd.

GANED David Lloyd yn Lerpwl yn 1935. Symudodd ei fam a'i dad yn bobl ifanc i'r ddinas honno o ogledd Cymru i chwilio am waith. Deuai'r fam o Lantysilio, ger Llangollen, a'r tad o Ddolgellau. Yr oedd cefndir cerddorol gan y ddau "fy mam a llais naturiol, deniadol iawn. Emynau ac anthemau oedd ei phethau hi, ac 'roedd hi'n edmygydd mawr o David Lloyd y Tenor. 'Rwyf wedi diodde'n dawel, ac wedi diolch droeon mai llais Bariton sydd gen i! Yr oedd mwy o gerddorion ar ochr fy nhad gan gynnwys John Lloyd, o Dywyn, sydd a chanddo anthem yn *Emynau a Thonau* 'Deuwch ataf Fi'.

Brawd iddo oedd ap Hefin [Henry Lloyd, Aberdâr] awdur emyn mawr dirwest y cyfnod 'I bob un sydd ffyddlon'.

'Roedd fy nhad yn bianydd da ac yn organydd y capel yn Lewisham". Symudodd y teulu i Lundain ar drothwy'r Ail Ryfel Byd, ond aed â'r plant yn ôl i Lantysilio a chafodd David Lloyd "blentyndod hyfryd ar fferm fechan yn y wlad". Wedi blwyddyn yn Ysgol Ramadeg Llangollen daeth yn bryd symud yn ôl i Lundain, gan addoli ar y Sul yng nghapel Lewisham.

88

"Dylanwad mawr yno oedd [Syr] Geraint Evans a'i deulu o Gilfynydd. 'Roedd Geraint newydd ddechrau yn Covent Garden. 'Rwy'n ei gofio'n canu 'Trumpeter, what are you sounding now?' pan ddadorchuddiwyd cofeb i'r rhai a laddwyd yn y rhyfel. Daeth i ganu'r 'Meseia' efo'n côr bach ni yn y capel. Un tro fe deithiodd yn ei ôl bob cam o San Francisco i ganu 'Thus saith the Lord' o'r Meseia – a chanu'r gân honno fel corwynt"!

Gweinidog y capel oedd y Parchedig Arthur Tudno Williams, a phriododd David Lloyd â'i ferch, Mair. Trwyddi hi y cafodd ef fynd yn fyfyriwr rhan-amser i'r Guildhall School of Music & Drama, gan ei bod hithau'n fyfyriwr yno.

"Dechreuais ganu mewn cyngherddau yn y capeli Cymraeg yn Llundain. Ond trwy berthyn i gwmni opera yn Eltham y dechreuais gael y profiad o lwyfannu. Yr oeddem yn mynd fel teulu i'r Brifwyl bob blwyddyn. Byddai John Tudno, fy mrawd-yng-nghyfraith, yn cystadlu'n gyson. Dechreuais i yn Eisteddfod Genedlaethol Caernarfon 1979 gan ddod yn ail ar y Lieder, ac yn ail hefyd i Tom Gwanas ar yr unawd Bariton. Yn Abertawe 1982 enillais yr unawd Operatig a Tom yn ail y tro hwnnw. Yna, Casnewydd.

Deuthum yn ail ar y Lieder, ac ennill y Bariton. I'r dref wedyn i gael ymarfer efo'r cyfeilydd ar gyfer y Rhuban Glas. Am ugain munud i unarddeg y nos y dechreuodd y gystadleuaeth a chefn y llwyfan yn debycach i orsaf Victoria gan gymaint y mynd a'r dod. Dyma'r amser yn dod i mi fynd i'r llwyfan. Cenais 'Cwyd a gwêl! Clyw 'ngorchymyn' allan o Un Ballo in Maschera (Verdi) – sef Eri Tu – ac yna 'Aros Mae'r Mynyddau Mawr' (Meirion Williams). Wrth ddod at ddiwedd y gân dyma ganu "Ond mae'r heniaith yn y tir, a'r alawon hen yn fyw" – o flaen cynulleidfa fawr yng Nghasnewydd, ardal â gobaith i'r Gymraeg eto".

Tystia fod awyrgylch garedig rhwng y cystadleuwyr wedi'r dyfarniad. "I rywun fel fi, oedd wedi colli'r cyfle o fywyd ifanc yng Nghymru, efallai mai'r cyfeillgarwch yna oedd y wobr fwyaf i gyd".

Cyfreithiwr oedd David Lloyd wrth ei waith, ac yn Bartner gydag un o gwmnïau cyfreithiol mawr y ddinas, sef Linklaters. Astudiodd y gyfraith yng Ngholeg Queens, Caergrawnt 1956-1959.

1989

LAVINA THOMAS, LLANDEILO (CONTRALTO)

Gwobr: Medal Goffa David Ellis (rhodd Mr a Mrs T. J. Williams,
Ffynnon Newydd, Llanrwst) a £75 (£60 rhodd Ann ac Elwyn Griffiths,
Cefn Coch, Llanwnda).

G ANED Lavina Thomas, yn un o 11 o blant, ar 4 Ebrill, 1939, i deulu
amaethyddol yn Nhŷ'r Adda, Llansadwrn, Sir Gaerfyrddin. Hi
oedd yr hynaf o'r merched, a chafodd ei magu ar aelwyd gerddorol. "Bu
dylanwad fy mam, ac yn arbennig fy nhad, yn hanfodol i hybu fy
niddordeb i mewn canu. 'Roedd fy nhad yn derbyn gwersi canu, ac yn
gystadleuydd brwd mewn eisteddfodau lleol. Trwy ei anogaeth ef y
dechreuais ganu yn yr Ysgol Sul. Yna, fe ymunais â chôr lleol Plant Cwm
Dŵr gyda Madam Simon wrth y llyw".

Dan ddylanwad Cassie Simon bu Lavina Thomas yn perfformio'n
wythnosol mewn cyngherddau ar hyd a lled y wlad "a hyd yn oed yn
Neuadd Albert yn Llundain gyda Stuart Burrows". Fe fyddai hi hefyd yn
cystadlu mewn eisteddfodau lleol, ac yn Eisteddfod Genedlaethol yr
Urdd. "Fe gystadleuais am y tro cyntaf yn yr Eisteddfod Genedlaethol yn
Aberdâr 1956. Yn 1959, yn Eisteddfod Genedlaethol Caernarfon,
enillais yr unawd Contralto dan 25 oed, ac ennill hefyd yn yr eisteddfod
honno ar y ddeuawd Agored gyda Madam Jenny Jones".

Cafodd grant gan Gyngor Sir Gaerfyrddin i fynd i Goleg Cerdd a
Drama Cymru, Caerdydd, i gael hyfforddiant lleisiol dan adain Zoe
Cresswell. Yn 1962 ymgartrefodd Lavina a'r teulu yn Llandeilo. "Wedi
cyfnod o beidio cystadlu bûm yn ffodus iawn i gyfarfod ag Olwen
Richards, cyfeilyddes o fri, a ddaeth yn hyfforddwraig imi".

Yn Eisteddfod Genedlaethol Llanbedr Pont Steffan 1984 enillodd
Lavina Thomas yr unawd Contralto a'r unawd Operatig. Ym Mhrifwyl
Abergwaun 1986, ac yng Nghasnewydd 1988, fe enillodd eto ar yr
unawd Contralto.

"Wythnos cyn Eisteddfod Genedlaethol Llanrwst 1989 bu farw fy mrawd, a 'doedd dim awydd o gwbl arnaf i gystadlu y flwyddyn honno. Ond gyda pherswâd Olwen Richards fe benderfynais anelu am Ddyffryn Conwy. Wedi imi ennill y Lieder ar y dydd Mawrth, bûm yn ymarfer yn galed ar gyfer yr unawd Contralto ar y dydd Gwener. Ennill unwaith eto, ac euthum ymlaen i ennill y Rhuban Glas ar y nos Sadwrn".

Pum cystadleuydd ddaeth i'r llwyfan yn hytrach na'r

chwech arferol. Ni ddyfarnwyd un baswr yn deilwng y flwyddyn honno. Y pump ar y llwyfan oedd Delyth Hopkins Evans [gweler Rhuban Glas 1994], Teifryn Rees (Tenor), Meinir Jones Williams [gweler Rhuban Glas 1990], Ieuan ap Sion (Bariton) a Lavina Thomas. Yr oedd y chwe beirniad yn unfrydol mai'r Contralto oedd yn fuddugol.

"Derbyniais ymateb arbennig yn Llandeilo wedi imi ennill, ac yng nghapel Ebeneser fe gyflwynwyd bwrdd ac arno blac i'm llongyfarch ar y fuddugoliaeth. Nid anghofiaf fyth y parti a gefais yn festri'r capel, a'r lle i gyd wedi ei addurno mewn glas. Fe'm hanrhydeddwyd yn ogystal gan Gyngor Cymuned Llandeilo gydag arfbais y dref".

Yn 1990 fe'i derbyniwyd i'r Orsedd dan yr enw Lavina Glannau Tywi, a chymerodd ran yn ddiweddarach yn seremonïau'r Orsedd.

Wedi iddi ennill y Rhuban Glas cafodd gyfle i ganu mewn nifer o gyngherddau yng Nghymru, Iwerddon, yr Alban, Lloegr, yr Almaen a Ffrainc. Bu'n unawdydd gwâdd gyda sawl côr, gan gynnwys Côr Meibion Llanelli, Côr Meibion y Mynydd Mawr a Chôr Llandeilo. "Mawr yw fy nyled i Olwen Richards am ei chymorth a'i hyfforddiant. Profiad gwerth chweil oedd cystadlu yn yr Eisteddfod Genedlaethol ac ennill y Rhuban Glas. Daeth ag anrhydedd mawr i mi".

CWM RHYMNI

M. Meinir Jones-Williams, Llundain
(Mezzo-Soprano)

Medal Goffa David Ellis (rhoddedig gan Jeanette Massocchi) a £100 (£50
Alcwyn ac Angela Savage, Trefil ger Tredegar; £25 Cronfa William Davies; £25
Cymdeithas Gymraeg Chelmsford a'r Cylch).

Ganed M. Meinir Jones-Williams yng Nghwmann ger Llanbedr Pont
Steffan. Fe'i haddysgwyd yn Ysgol Uwchradd Llanbedr Pont
Steffan ac yng Ngholeg Prifysgol Cymru, Aberystwyth. Y mae hi bellach
yn athrawes deithiol lleisiol yn Sir Gaerfyrddin a Cheredigion, "swydd
sy'n fy ngalluogi i drosglwyddo blynyddoedd lawer o hyfforddiant a
phrofiad cystadlu i gantorion y dyfodol".

Ym marn Meinir Jones-Williams "uchelgais pob cystadleuydd
eisteddfodol o ddifrif yw ennill Rhuban Glas yr Eisteddfod Genedlaethol.
Nid wyf fi yn eithriad yn hyn. 'Rwy'n cofio bod yn nhŷ Evan Lloyd
[Rhuban Glas 1960] un tro, a gweld y Rhuban Glas ar y wal. Dywedais
yn benderfynol wrthyf fy hun 'Mae'n rhaid i mi gael un o rheina'!

Ac fe gafodd ddau. Eisteddfod Genedlaethol Llanbedr Pont Steffan
1984 oedd ei chyfle olaf i gystadlu o dan 25 oed. Wedi ennill yn ei
hadran, fel Contralto, daeth cyfle i gystadlu am Wobr Goffa Osborne
Roberts. "Rhaid imi nodi yn y fan hon mai'r Bariton buddugol yn ei
adran oedd Bryn Terfel. Newydd groesi'r ffin oedran o 18 i 25 oed oedd
Bryn, tra 'roeddwn i bron a'i adael. (Y ddau gystadleuydd arall oedd
Timothy Evans – hefyd o Lanbedr Pont Steffan, a Rhian Owen,
Llanberis). Fel person nerfus tu hwnt fe'i cefais yn amhosibl aros yn y
pafiliwn i wrando ar y feirniadaeth. Diolch byth am fideo er mwyn cael
gweld y cyfan ar ôl hynny. Chlywais i'r un gair o'r feirniadaeth ar y
pryd, dim ond ffrind yn gweiddi'n dra chynhyrfus arnaf i ddod allan o'r
tŷ-bach a mynd am y llwyfan".

Daeth i'r llwyfan am Wobr Goffa David Ellis yn Llanrwst 1989, "ond

Cwm Rhymni 1990 oedd yr awr fawr. Aros y tu allan i'r pafiliwn wnes i'r tro hwn hefyd, yn methu goddef clywed y feirniadaeth. 'Does neb ond y rhai sydd wedi profi'r artaith yma ag unrhyw syniad beth mae'r cystadleuwyr yn byw drwyddo. Mae'r perfformio yn ddigon anodd, ond mae disgwyl am y dyfarniad bron yn amhosibl. Dyna deimlad rhyfedd oedd cerdded o gwmpas y pebyll gwag, a hithau'n tynnu at hanner-nos, gan ddal rhyw air neu ddau o'r llwyfan. Yna, tynnodd Kenneth Bowen ei feirniadaeth i ben ar ran ei gyd-feirniaid (Phyllis Kinney, Maureen Guy, Llifon Hughes Jones, Eilir Thomas a John Mitchinson) gan ddweud eu bod yn unfryd unfarn mai enillydd Gwobr Goffa David Ellis oedd y Mezzo-Soprano. Rhuthrais tua chefn y llwyfan, a chael fy llongyfarch a'm cofleidio gan fy ngŵr a'm chwaer.

Rhoddodd yr arweinydd llwyfan fraslun o'm gyrfa i'r gynulleidfa – prif unawdydd Eisteddfod yr Urdd yn Aberafan 1983, enillydd y Rhuban Glas dan 25 oed yn Llanbedr Pont Steffan 1984, Canwr y Flwyddyn yn Eisteddfod Ryngwladol Llangollen 1987 – a nawr, enillydd y Rhuban Glas 1990.

Ar ôl dod i lawr o'r llwyfan, ond nid o'r cymylau, cefais gyfweliad sydyn gan Rhys Jones, a ofynnodd am y dyfodol. A dyna fi'n ateb yn bendant 'Dyma ddiwedd cystadlu i mi'. Fel hynny y dylai fod. 'Rwy'n teimlo mai'r gystadleuaeth hon sy'n pontio rhwng yr amatur a'r proffesiynol. Peth trist ar yr un pryd oedd rhoi'r ffidl yn y to ar ôl dwy-flynedd-ar-hugain o gystadlu ar hyd eisteddfodau'r wlad; gweld, cwrdd a chymdeithasu â chymaint o bobl sy'n dal yn ffrindiau, er mai cwrdd fel cystadleuwyr oeddem ni.

Ond, mae gennyf ddau Ruban Glas ar y wal erbyn hyn; un yr un i'm plant i'w trosglwyddo i'w plant hwythau".

BRO DELYN

IWAN PARRY, DOLGELLAU (BARITON)

Amodau: Yr unawd (a) yn y dosbarth; (b) hunan-ddewisiad o unawd
gan gyfansoddwr o Gymro a anwyd o 1900 ymlaen, ac eithrio'r
dewisiad (b) yn y dosbarth.
Gwobr: Medal Goffa David Ellis a £100 (Ann ac Elwyn Griffiths, Llanwnda).

GANED Iwan Wyn Parry yn Llanymddyfri, Sir Gaerfyrddin. Ond fe'i
magwyd ym mhentre'r Groeslon, Sir Gaernarfon, ar aelwyd a
roddai le amlwg i gerddoriaeth, gan fod ei dad [Arthur Wyn] yn godwr
canu yn ei gapel, yn aelod ac yna'n arweinydd ar Gôr Meibion Dyffryn
Nantlle, ac yn ei ddydd yn unawdydd Bariton (ac erbyn heddiw yn
enillydd cenedlaethol ar ganu emyn i rai dros 60 oed).

Derbyniodd Iwan bob cefnogaeth gan ei rieni i ymhel â cherddoriaeth,
gan ddysgu canu offerynnau fel y piano, y ffidil a'r gitar, yn ogystal ag
astudio cerddoriaeth yn allanol at lefel 'O' a lefel 'A'. Ei brofiad cyntaf o
ganu oedd fel aelod o gôr Ysgol Dyffryn Nantlle ac o Gôr Ieuenctid
Gwynedd [i'r Côr hwn yr ysgrifennodd Gareth Glyn y gân 'Cadwyn'].

Bu'n cystadlu'n ddi-dor yn yr Eisteddfod Genedlaethol o 1983
[Llangefni] hyd 1991 yn Yr Wyddgrug. Cafodd lwyfan bob blwyddyn,
gan ddod yn fuddugol dan 25 oed yn Abergwaun 1986 ac ar yr unawd
Agored i fariton yng Nghwm Rhymni 1990 ac eto ym Mro Delyn 1991.
Enillodd hefyd yn Eisteddfod Genedlaethol yr Urdd yn Y Drenewydd ar
yr unawd i rai dan 25 oed.

Bu'n brysur ryfeddol yn yr eisteddfod yn yr Wyddgrug yn 1991. Gan
ei fod yn un o bedwarawd a berfformiai rannau o waith J. Ambrose
Lloyd yn y Stiwdio Gerdd yno, fe gyrhaeddodd yn hwyr i ragbrawf yr
unawd Bariton. Dewisodd ganu 'Yr Utgorn a gân' (Handel) –
cyfieithiad arbennig gan Penri Jones, Y Parc – a 'Llanfihangel
Bachellaeth' (W. Matthews Williams).

Yna ar y dydd Sadwrn, nid yn unig yr oedd i ganu ar yr unawd

Bariton, ond fe ganai hefyd gyda Chôr Godre'r Aran, a daeth y Côr yn fuddugol. Enillodd yntau'r unawd Bariton, a'r nos Sadwrn honno ei hunan-ddewisiad i gystadleuaeth y Rhuban Glas oedd 'Baled Rhyfel Glyndwr' (E. T. Davies). Y cyfeilydd yn ei adran oedd Colin Jones, a thra'n fyfyriwr yng ngholeg Milfeddygol Caeredin byddai Iwan yn mynd ato'n achlysurol am wersi. Ei gyfeilydd yng nghystadleuaeth y Rhuban Glas oedd Eirian Owen, sydd hefyd yn arweinydd Côr Godre'r Aran.

"Erbyn y nos Sadwrn, ar ôl yr holl gystadlu, 'roeddwn i'n flinedig tu hwnt. Wrthi'n newid i fynd adref oeddwn i yn ystod y feirniadaeth, a'r stiwardiaid llwyfan yn edrych amdana i ymhob man i ddod i dderbyn y wobr yn weddus".

Cawsai brofiad, tebyg o ran prysurdeb, pan enillodd wobr Canwr Ifanc y Flwyddyn yn Eisteddfod Ryngwladol Llangollen 1996 gan iddo ganu eto'r diwrnod hwnnw gyda Chôr Godre'r Aran a enillodd gystadleuaeth y corau meibion.

Iwan Wyn Parry yw un o enillwyr ieuengaf y Rhuban Glas. 26 oed ydoedd yn 1991. Wedi'r fuddugoliaeth yn yr Eisteddfod Genedlaethol ym Mro Delyn bu galw cynyddol am ei wasanaeth fel unawdydd yng Nghymru a thu hwnt. Cafodd gyfle i ganu'r Meseia, a gweithiau oratorio eraill, yn gyson a hynny'n bennaf, yn ei farn ef "oherwydd imi ganu 'Yr Utgorn a gân' yn y Brifwyl".

Edrychai ymlaen yn eiddgar at ganu'r Meseia yn Neuadd Ffilarmonig Lerpwl i ddathlu canmlwyddiant Undeb Gorawl Cymry Lerpwl fis Mawrth 2000. Canodd yng Nghymanfa Ganu Gogledd America, yn Norwy – un waith yn Tröldhaugen, cartref y cyfansoddwr Grieg – ac yn Awstralia a Seland Newydd gyda Chôr Godre'r Aran.

ANTHONY STUART LLOYD, CAERDYDD (BAS)

GANED Tony Lloyd ar aelwyd ddi-Gymraeg yn Nhrelái, Caerdydd. Bu'n ddisgybl yn Ysgol Gymraeg Bryntaf ac yn Ysgol Uwchradd Glantaf. Aeth yn ei flaen i astudio gyda John Mitchinson a Gerald Wragg yng Ngholeg Cerdd a Drama Cymru, Caerdydd. Tra yn y coleg gwnaeth ei ymddangosiad proffesiynol cyntaf gyda Chwmni Opera Cenedlaethol Cymru.

"Ar sawl ystyr ennill y Rhuban Glas oedd y peth olaf y gallwn i fod wedi ei ddisgwyl. Hyd at y flwyddyn honno yn Aberystwyth 'doedd gen i fawr o brofiad o gystadlu yn yr Eisteddfod Genedlaethol, er mod i wedi canu yno fel aelod o'r Côr Ieuenctid Cenedlaethol. Fe roddais gynnig hefyd ar Ysgoloriaeth Towyn Roberts yn 1991. Erbyn y flwyddyn ganlynol yn Aberystwyth 'roeddwn i fymryn yn fwy cyfarwydd â'r sustem. Fe roddais gynnig eto ar Ysgoloriaeth Towyn Roberts ond, yn anffodus i mi, 'roedd Syr Geraint Evans wedi mynnu newid trefn yr eitemau a ganwn i – fe dueddai i fod yn fwy beirniadol o'r cantorion o'r un *tessitura* ag ef – a wyddai'r cyfeilydd ddim am y newid. Afraid dweud nad enillais i'r Ysgoloriaeth.

Ond, y tro yma, tra'n llyfu fy nghlwyfau 'roedd gen i'r Rhuban Glas i edrych ymlaen ato! Cynhaliwyd y rhagbrawf mewn ysgol gynradd leol. Yr agoriad llygad cyntaf oedd fod y rhan fwyaf o'r baswyr oedd yn cystadlu'n fy erbyn yn ddigon hen i fod yn dad imi. Ac 'roedd ganddyn nhw leisiau godidog. Safai un cystadleuydd yno mewn crys-T brwnt. Fe wnai ddefnydd helaeth o'i ddwylo. Wedyn y sylweddolais i pam. 'Roedd geiriau'r aria ar gledr ei law!

Wedi imi ennill yr unawd Bas fe ffoniais fy rhieni i ddweud wrthynt am ddod i Aberystwyth ar unwaith. Wyddwn i ddim ar y pryd fod angen gwisgo'n ffurfiol i'r Rhuban Glas. Euthum i'r dref i brynu tei-bô, ond lle cewch chi dei i goler maint 21"?

Ar y noson 'roeddwn i'n nerfus, ond hefyd yn chwilfrydig i glywed y cystadleuwyr eraill. Wyddwn i ar y ddaear pa safon i'w disgwyl. Hwn oedd fy mhrofiad cyntaf o noson o'r fath. Penderfynais beidio â phoeni am y lleill, ond yn hytrach i ganolbwyntio ar fy mherfformiad fy hun.

'Roeddwn i'n meddwl mod i wedi canu'n dda, er fod fy llais yn dal yn ifanc ac yn brin o gic mewn mannau. Fe genais i 'Palermo Deg' o Tu Palermo (Verdi). Y peth mwyaf rhwystredig oedd gorfod aros am hydoedd am y dyfarniad. Fe ymddangosai fel tragwyddoldeb cyn cael canlyniad, rhyw egwyl dawel cyn y storm.

Ar y llwyfan, wrth dderbyn y wobr, roeddwn i fel pe mewn breuddwyd. Pwy oedd y wraig oedd yn cerdded tuag ata' i? A beth sydd ganddi ar y clustog coch? Rhuban Glas oedd yr ateb! A fyddai'r Rhuban yn ffitio dros fy mhen oedd y cwestiwn nesaf? 'Roedd y cyfan yn hynod ac yn hyfryd. Ac un o'r pethau hyfrytaf ar ôl dod o'r llwyfan oedd cyfarfod â Mrs Rhiannon Evans, un o'm hathrawesau ym Mryntaf tuag ugain mlynedd yn gynharach, a ddaeth i'm llongyfarch. Ac yna cyfarfod â'm rhieni oedd, fel fi, yn rhyfeddu at yr achlysur ac yn hynod o falch o fod yno.

Nid yn unig fe agorodd y Rhuban Glas ddrysau imi, ond fe ddysgodd imi hefyd sut i guro ar ddrysau a sut i droi'r handlen. Yn fuan iawn 'roeddwn i'n cystadlu am ysgoloriaethau eraill er mwyn parhau â'm hastudiaethau, ac er mwyn ceisio mynd yn fy mlaen i sicrhau gyrfa broffesiynol. Fe ddeuthum i o'r tu allan i'r traddodiad eisteddfodol arferol. Mae'r Rhuban Glas, mae'n amlwg, yn golygu pethau gwahanol i bob cystadleuydd; rhai'n ei drin fel hobi rhwng prelim a'r pafiliwn, ac yn mwynhau'r cystadlu. Eraill, fel fi, am groesi'r rhyd i'r byd mawr proffesiynol, ond yn falch o'r cyfle i lwyfannu ac i berfformio o flaen cynulleidfa werthfawrogol".

Anthony Stuart Lloyd yw prif faswr Stadische Buhnen yn Freiburg yn yr Almaen, a chanodd gyda Chôr Eisteddfod Môn yn Eisteddfod Genedlaethol 1999.

1993

DE POWYS: LLANELWEDD

WASHINGTON JAMES, CENARTH (TENOR)

GANED Washington James yng Nghwm Cych ar 11 Mai, 1933, gan fynd i'r ysgol yn Abercych ar ôl symud yno i fyw [Llais o'r Cych yw ei enw yng Ngorsedd]. "Mr Lloyd Thomas oedd enw'r prifathro, a dysgai lawer o ganu i'w ddisgyblion". Gadawodd yr ysgol yn 15 oed a mynd i weithio fel peiriannydd mecanyddol yn y Lion Garage yn Aberteifi.

Ar ôl priodi ymaelododd yng nghapel y Presbyteriaid yng Nghenarth. "'Roedde nhw'n cynnal eisteddfod fach yn y capel, a chystadleuaeth i rai heb ennill o'r blaen; 'solo-twps' mewn geiriau eraill! Enillais i ddim y tro cyntaf, ond awgrymodd y beirniad, sef Mr James, Blaenpant, Llandygwydd, fy mod i'n mynd ymlaen i gael gwersi canu". Bu Washington James yn ddigon call i dderbyn yr awgrym. Dechreuodd drwy gael gwersi gan Andrew Williams, Aberteifi.

Cafodd flas ar ennill yn rhai o eisteddfodau lleol yr ardal, ac aeth yn ei flaen i ganu yng Ngŵyl Fawr Aberteifi. Enillodd yno ar ganu 'Bara Angylion Duw', ac enillodd eto yn eisteddfodau James Pantyfedwen ym Mhontrhydfendigaid a Llanbedr Pont Steffan. Erbyn hynny 'roedd iechyd Andrew Williams yn gwaethygu ac ni allai barhau i roi gwersi i'r tenor o

Genarth. Wedi cyfnod o hyfforddiant gan Lloyd Phillips, Tegryn, aeth Washington James i gael gwersi gan Edward [Ted] Morgan, Llandysul.

Mentrodd i'r Eisteddfod Genedlaethol am y tro cyntaf yn Abertawe 1964. "Y beirniaid oedd David Lloyd a Dr Terry James, a chefais yr anrhydedd o gael Meirion Williams i gyfeilio imi. Cefais gynnig gan Gwilym Gwalchmai i fynd ato i'r coleg ym Manceinion, ond ar ôl meddwl llawer tros ei gynnig ni allwn dderbyn am fod y plant yn fach. Gadewais ganu am beth amser a throi at rasio ceir".

Bu'n rasio ceir mewn 23 o wahanol wledydd yn Ewrob a De America, gan fwynhau croeso Cymreig ym Mhatagonia. "Fe es i wedyn i'r Andes a Phanama, gan groesi afon Plate ar long, a chanu caneuon Cymraeg ar ei bwrdd. Cyrhaeddais i Mecsico cyn Cwpan y Byd. Cychwynnodd cant a phymtheg o geir yn y ras. Un-ar-bymtheg orffennodd, a daeth y car o Gymru yn bumed".

Dychwelodd i Gymru, a dychwelodd yr awydd i ganu. Aeth am hyfforddiant at Mr a Mrs Ken Reynolds yn Llanfarian. Enillodd ar yr unawd Tenor yn yr Eisteddfod Genedlaethol yn Abertawe 1982, Abergwaun 1986, Casnewydd 1988, Bro Delyn 1991 ac, am y pumed tro, yn Llanelwedd 1993. Enillodd hefyd ar yr unawd Gymraeg yn Y Bala yn 1997 ac enillodd ddwywaith ar yr unawd Tenor yn Eisteddfod Ryngwladol Llangollen.

Yn Eisteddfod Genedlaethol Aberystwyth 1992 enillodd y gystadleuaeth 'Unrhyw unawd gan y cyfansoddwr R. S. Hughes' [a aned yn Aberystwyth 1855]. "'Roedd ennill y gystadleuaeth hon cystal ag ennill y Rhuban Glas, am fod y cewri i gyd yno".

Ei uchelgais, serch hynny, oedd ennill y Rhuban Glas. Mewn carafan y lletyai yn Llanelwedd. "Ar y nos Sadwrn 'roeddwn i'n nerfus ofnadw'. Allwn i ddim credu pan ddywedodd Dr Lyn Davies ar ran y panel beirniaid mai

'Washington James, y Tenor, sy'n fuddugol'. Wedi dychwelyd adref i Genarth cefais de-parti yn y capel, a chloc yn rhodd gan bobl y pentref".

Llifodd y gwahoddiadau ato i gyngherddau yng Nghymru a Lloegr, a thramor i Ottawa a Gibraltar. "'Rwy'n dal yn nerfus ond yn mwynhau cymryd rhan. Mae'n rhaid fod cystadlu yn fy ngwaed. Tydw i ddim yn gofidio pan na fydda i'n ennill, gan imi wneud cymaint o ffrindiau yn y Gogledd a'r De. Ond fe hoffwn i ennill unwaith eto yn yr Eisteddfod Genedlaethol – er mwyn ennill mewn dwy ganrif wahanol"!

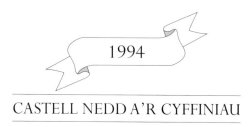

1994

CASTELL NEDD A'R CYFFINIAU

DELYTH HOPKINS EVANS, PONT-RHYD-Y-GROES
(SOPRANO)

Medal Goffa David Ellis a £100 (£50 Miss Gwenda Evans a Mrs Katie Evans, Resolfen; £50 Margaret a Dafydd Rowlands [Archdderwydd 1996-1999]).

GANED Delyth Hopkins Evans ar fferm Maenarthur, Pont-rhyd-y-groes, Ceredigion yn 1954. Cafodd seiliau diwylliannol cadarn yn Ysgol Gynradd Ysbyty Ystwyth. Etifeddodd gariad at gerddoriaeth o ddwy ochr ei theulu. Ei thadcu, Morgan Jones, "yn fy rhoi ar ben bwrdd y parlwr pan oeddwn yn ddwyflwydd i'm dysgu i ganu". 'Roedd Morgan Jones yn godwr canu yng nghapel Maesglas, Ysbyty Ystwyth – capel Dafydd Morgan y Diwygiwr – ac 'roedd ganddo lais tenor telynegol, "yn debyg iawn i lais David Lloyd". Ac 'roedd ei mam wedi ennill ar yr unawd o dan 12 oed yn Eisteddfod Genedlaethol yr Urdd, Blaenau Ffestiniog, 1936.

Yn Ysgol Uwchradd Tregaron fe gafodd Delyth "brofiadau cerddorol bythgofiadwy, diolch i frwdfrydedd Mrs Ethel Jones a'r prifathro, Mr

Glyn Ifans". Graddiodd yn B. Mus. yng Ngholeg Prifysgol Cymru, Aberystwyth.

Bu'n cystadlu er pan oedd yn bedair oed. "Âi mam â mi yn selog bob dydd Sadwrn yn ystod y 'tymor' i geisio fy lwc". Pan oedd hi'n chwech oed fe'i clywyd yn canu gan Redvers Llewelyn, a chymrodd hi dan ei adain. "Bu ei eiriau doeth a'i addfwynder yn sail i fy llwyddiant lleisiol". Enillodd yn Eisteddfodau Cenedlaethol yr Urdd, yn Eisteddfod Ryngwladol Llangollen, "a'r gamp fwyaf oedd ennill deirgwaith yn olynol ar yr unawd i ferched 12-15 oed yn yr Eisteddfod Genedlaethol. Symudodd Redvers Llewelyn o Aberystwyth, a chollais innau ffrind da".

Daeth athrawon eraill i'w ddilyn, sef John Hearne, Roderick Jones ac yna Hazel Holt.

Yn 1979 dechreuodd Delyth ar ei swydd fel Penaeth Cerdd Ysgol Gyfun Llanbedr Pont Steffan. Er 1972 'roedd wedi ffurfio Côr Glannau Ystwyth. Ail afaelodd mewn cystadlu o ddifrif yn Y Rhyl 1985. "Unwaith eto 'roeddwn yn gaeth i'r byd eisteddfodol. Bûm ar lwyfan y Brifwyl bob blwyddyn rhwng 1985 a 1994, ag eithrio 1992 pan oeddwn ar y pwyllgor cerdd yn Aberystwyth, ac yn arwain Côr yr Eisteddfod". Ei hyfforddwyr bellach oedd Ken a Christine Reynolds, Llanfarian.

Wedi ennill yr unawd Soprano (am y pedwerydd tro) yng Nghastell Nedd, dechreuodd ei phroblemau! "Nid oeddwn wedi paratoi ar gyfer yr hunan-ddewisiad i'r Rhuban Glas, ac yn waeth na dim nid oedd gennyf ffrog bwrpasol i'w gwisgo. Dyma ffonio mam am y ffrog las, a gorchymyn Peredur, fy ngŵr i ddod â'r ffrog i Gastell Nedd. Daeth â'r ffrog anghywir"! Ond aeth popeth arall yn iawn. Ei

hunan-ddewisiad oedd 'Ti Dduw pob rhyfeddod' allan o Pedair Gweddi o'r Gaeleg (Mansel Thomas). Y gân osod oedd 'Cân Lia' allan o L'Enfant Prodigue (Debussy).

"'Roeddwn wedi dweud cyn hyn mai bonws oedd cystadlu am y Rhuban Glas. Ond gwyddwn yn fy nghalon nad dyna'r gwir. Dyma gystadleuaeth bwysicaf fy mywyd. Pan ddaeth arolygwr y llwyfan [Ifan Jones Davies] i'm tywys i'r llwyfan ar ôl y dyfarniad wn i ddim ai chwerthin neu grïo wnes i. Dathliad yn Abertawe, lle'r oeddem yn aros y noson honno. Ac o gyrraedd adref drannoeth fe gawsom y lôn yn llawn baneri a balŵns".

Ddiwedd Medi trefnwyd dathliad mwy swyddogol yn Neuadd Pont-rhyd-y-groes gan y gymdeithas leol. "Bu'r flwyddyn ganlynol yn un hynod brysur mewn cyngherddau. Gwn na fyddaf yn cystadlu eto. Ond mae'r plant, Rhian Lois a Rhys, wedi ennill gwobrau cenedlaethol eisoes. A minnau'n cael y wefr o'u canlyn". A than arweiniad Delyth mae Côr Glannau Ystwyth yn mynd o nerth i nerth.

1995

BRO COLWYN

Shân Cothi Morgan, Ffarmers, Llanwrda
(Soprano)

GANED Shân Cothi yn Ysbyty Llanymddyfri yn 1965, ac fe'i maged ar fferm Plas Newydd ym mhlwyf Ffarmers, Sir Gaerfyrddin. Graddiodd mewn Cymraeg a Drama yng Ngholeg Prifysgol Cymru, Aberystwyth, a phenodwyd hi'n Bennaeth Adran Cerdd Ysgol Uwchradd Llanfair Caereinion ym Maldwyn yn 1989. Yn Ionawr 1993 symudodd i swydd gyffelyb yn Ysgol Gyfun Ystalyfera. Yn 1995 penderfynodd fentro ar yrfa fel cantores broffesiynol, a chafodd y dechrau gorau posib trwy ennill y Rhuban Glas yn Eisteddfod Genedlaethol Bro Colwyn.

Yr oedd wedi ennill ar yr unawd Soprano eisoes yn Aberystwyth 1992 ac eto yn Llanelwedd 1993. Ar ei thrydydd cynnig, felly, fe ddaeth i'r brig ym Mro Colwyn 1995. "'Roedd y darnau gosod yn siwtio fy llais i'r dim, sef 'Dovo Sono' allan o Le Nozze di Figaro (Mozart) a 'Hydref' allan o'r Tymhorau – cylch o ganeuon gan Dilys Elwyn Edwards. Yn ddiweddarach, yng Nghastell Penrhyn, fe gefais i'r fraint o ganu gwaith y gyfansoddwraig hon, cylch o ganeuon a gyflwynwyd i mi, 'Caneuon Gwynedd', a Dilys Elwyn Edwards yn cyfeilio imi".

Diwrnod blinedig iddi oedd dydd Mercher Prifwyl Bro Colwyn gan iddi fynd ar ei hunion o ragbrawf Ysgoloriaeth Towyn Roberts i ragbrawf yr unawd Soprano – a chael llwyfan ar y ddwy gystadleuaeth ar y dydd Iau. "Dwi bob amser yn teimlo'n ansicr mewn rhagbrawf. 'Roedd fy hyfforddwr, Ken Reynolds, yn dweud mod i wedi canu'n dda. Ond cystadleuaeth yw cystadleuaeth, a fedrwch chi fyth fod yn sidr. Ar nos Sadwrn y Rhuban Glas doeddwn i ddim yn poeni'n ormodol am fod y gystadleuaeth yn fwy o gyngerdd, ond 'roeddwn i eisiau perfformio'n dda. Beth i wisgo oedd y broblem! 'Roedd gen i ffrog ddu, hir, â thipyn o *sparkle* ynddi er cyngerdd Ysgol Gyfun Ystalyfera yn Eisteddfod Genedlaethol Castell Nedd 1994, ac fe gafodd y wisg honno drip i'r Gogledd – rhag ofn"!

Fu dim trafod ymhlith panel beirniaid y Rhuban Glas y tro hwn. Gofynnodd Brian Hughes, cadeirydd y panel, i'r chwe beirniad roi enw eu dewis hwy ar ddarn o bapur ac i mewn i'r het.

Yr un enw a ddaeth allan o'r het chwe gwaith. "Doeddwn i ddim yn disgwyl ennill o gwbl. Wedi rhoi'r Rhuban Glas am fy ngwddf fe ddaeth *siren* uchel o'r maes i darfu ar draws y llongyfarch. 'Peidiwch â becso', meddai'r arweinydd llwyfan, 'mynd i ddiffodd hen *flames* Shân Cothi mae'r frigâd'! 'Roedd fy rhieni yn eistedd gyda rhieni Aled Edwards [Rhuban Glas 1997] yn y pafiliwn a rhoddais *thumbs up* go iawn iddyn nhw. Teithiodd dad i fyny yn arbennig i'm clywed ar y dydd Sadwrn. 'Roedd mam wedi bod yn gwmni i mi drwy'r wythnos".

A dyna ddechrau ar yrfa o ddatganiadau amrywiol, o waith J. S. Bach i gyfnod cyfansoddwyr cyfoes. Bu Shân yn unawdydd cyson gyda cherddorfa Genedlaethol Gymreig y BBC, Cerddorfa Simffoni Lloegr, y Gerddorfa Siambr Genedlaethol a Cherddorfa Genedlaethol Ieuenctid Cymru. O fyd opera fe gymerodd brif rannau mewn cynyrchiadau o Merry Widow, Priodas Ffigaro, Y Pysgotwyr Perl, Masked Ball, L'Elisir d'Amore a'r Bartered Bride. Fe'i galwyd hefyd yng ngwanwyn 2000 i chwarae rhan Carlotta yng nghynhyrchiad y West End o 'Phantom of the Opera'.

Fe ddatblygodd Shân yn un o gyflwynwyr a pherfformwyr mwyaf poblogaidd radio a theledu yng Nghymru. Gwahoddwyd hi a Rhys Meirion [Rhuban Glas 1996] gan Gymdeithas Corau Meibion Gogledd Cymru i Neuadd Albert yn nhymor yr hydref 2000. Ac yng Ngŵyl Gerdd Cricieth 2000 y mae Shân yn chwarae'r brif ran yn yr opera newydd 'Culhwch ag Olwen', gwaith comisiwn Geraint Lewis a deledir ar S4C.

Mae Shân Cothi, fel Anthony Lloyd a Rhys Meirion, yn enghraifft o'r agwedd newydd sy'n bodoli ymlith enillwyr cyfoes y Rhuban Glas, gan ddilyn esiampl Stuart Burrows ddeugain mlynedd yn gynharach a mentro i'r byd proffesiynol.

1996

BRO DINEFWR

RHYS MEIRION JONES, RHUTHIN   (TENOR)

Gwobr: Medal Goffa David Ellis (Cronfa Goffa David Ellis a Chronfa Leila
Megane) a £100 (Er cof am Arwel Davies, Tŷ Croes ger Rhydaman, gan ei
briod Eiry, ei frawd a'i chwiorydd).

GANED Rhys Meirion, yr hanner canfed o enillwyr y Rhuban Glas,
ym Mlaenau Ffestiniog. Plismon oedd ei dad, a symudodd y teulu
i Garndolbenmaen ac yna i Dremadog. Cafodd Rhys Meirion ei addysg
uwchradd yn Ysgol Eifionydd, Porthmadog, a graddio yng Ngholeg y
Drindod, Caerfyrddin. Bu'n athro yn ysgolion cynradd Tywyn,
Meirionnydd, a Thwm o'r Nant, Dinbych, cyn cael ei benodi'n brifathro
Ysgol Gynradd Pentrecelyn yn Nyffryn Clwyd.

"'Roeddwn wedi cael llwyddiant mewn nifer o eisteddfodau, fel
Gŵyl Fawr Aberteifi ac Eisteddfod Môn, ac 'roedd fy llais yn datblygu'n
gyflym dan arweiniad meddylgar a
hynod ddeallus fy athro canu, sef
Brian Hughes. Ond fe newidiodd
Eisteddfod Genedlaethol 1996 Bro
Dinefwr, yn Llandeilo, fy mywyd
yn llwyr".

Ar y pryd 'Mr Jones y
Prifathro' oedd o i blant a rhieni
Ysgol Gynradd Pentrecelyn, ond
wedi llwyddiant Llandeilo aeth
Mr Jones yn Rhys Meirion.
Penderfynodd roi'r gorau i ddysgu
plant a mynd yn ddisgybl ei hun
i goleg cerdd y Guildhall yn
Llundain, gan fentro ar yrfa
broffesiynol fel canwr.

Menai Davies a Wynford Evans a ddyfarnodd iddo'r wobr am yr unawd Tenor. Y darnau prawf oedd 'Ar lawer balmaidd hwyrnos haf' allan o Luisa Miller (Verdi), a'r 'Dieithryn' (J. Morgan Nicholas). "Fe fu bron i'r cwbl fynd yn ffradach yn y rhagbrawf wrth imi anghofio geiriau yn y Luisa Miller. Cefais gyfle i ail-ddechrau. Sioc oedd clywed fy mod i ymddangos ar y llwyfan, a sioc fwy oedd ennill".

Sylweddolodd y byddai'n canu am y Rhuban Glas ar y nos Sadwrn. "Erbyn hyn 'roedd hi'n hwyr bnawn Iau pan ddeallais fod y gân Gymraeg yr oeddwn wedi ei pharatoi at y Rhuban Glas o'r cyfnod anghywir [unawd gan gyfansoddwr o Gymro a anwyd o 1900 ymlaen]. "Ar ôl crafu pen, sylweddolais nad oeddwn wedi dysgu yr un gân Gymraeg o'r cyfnod yna. Dyna i chi sefyllfa! Penderfynais fynd adref gyda 'nhad, i Rhuthun. Bore Gwener, wedi siarad â Brian Hughes a Penri Vaughan Evans dyma ddewis 'Mae hiraeth yn y môr' (Dilys Elwyn Edwards). Nid oedd yn gân rhy hir, ac 'roedd yn gyferbyniad gwych i'r Luisa Miller. Trefnais wers efo Brian Hughes am bump y pnawn, a threulio'r bore yn dysgu'r geiriau.

Codais fore Sadwrn, heb gysgu llawer, a chychwyn yn gynnar yn ôl am Landeilo gan fynd dros y gân nifer o weithiau ar y ffordd i lawr tra'r oedd dad yn dreifio". Yr oedd mewn dwylo diogel, gan mai plismon-traffig oedd ei dad. "Dad ddysgodd Bryn Terfel i ddreifio".

Yn rhannu llwyfan ag ef am y Rhuban Glas yr oedd Ieuan ap Sion (Bariton), Iona Stephen Williams [Rhuban Glas 1998](Contralto), Trebor Lloyd Evans (Bas), Helen Gibbon (Soprano) a Sian Eirian (Mezzo-Soprano).

"Tydw i ddim yn cofio llawer am y gystadleuaeth. Gwyddwn fod y Luisa Miller wedi mynd yn dda. A fyddwn i'n cofio geiriau'r gân Gymraeg? 'Doeddwn i ddim am weld dwy ffradach mewn un wythnos. Dyfarnwyd y wobr imi, ac 'roedd y panel beirniaid yn unfrydol. Fe'm galwyd i dderbyn y Rhuban Glas. A dyna eiliadau a newidiodd fy mywyd. Byddaf yn eu trysori tra byddaf byw".

Gwnaeth Rhys Meirion yn fawr o'i gyfle. Mae galw cyson arno i gyngherddau dros y wlad, ac mae'n canu'r brif ran yn opera 'Y Pysgotwyr Perl' (Bizet) gyda Chwmni Opera Cenedlaethol Lloegr yn nhymor y gwanwyn 2000. Bydd yn canu gyda Chwmni Opera Cenedlaethol Cymru ymhen y flwyddyn.

MEIRION A'R CYFFINIAU

ALED EDWARDS, CIL-Y-CWM (BARITON)

GANED Aled Edwards yn 1962 yn yr un ysbyty yn Llanymddyfri ag y ganed Iwan Wyn Parry [Rhuban Glas 1991] a Shân Cothi [Rhuban Glas 1995]. Maged Aled ar fferm y teulu yng Nghil-y-cwm. Mynychodd yr ysgol leol ac Ysgol Uwchradd Pantycelyn yn Llanymddyfri.

'"Dwi'n canu er pan wy'n cofio. Dechreuais arni yn y capel ac mewn eisteddfodau lleol. Ond 'doeddwn i ddim ar y cylch cystadlu cyson. 'Doedd dim traddodiad eisteddfodol yn y teulu, a fyddwn i ddim yn gwneud rhyw lawer ag eisteddfodau'r Urdd am nad oedd hi'n arfer gan blant Ysgol Pantycelyn gystadlu".

O ganlyniad yr oedd hi'n hwyr y dydd arno fel bachgen o Soprano yn darganfod y potensial oedd i'w lais. Dechreuodd ganu o ddifrif pan dorrodd ei lais. "Fe d'rawes i fargen gyda mam y byddwn i'n fodlon cael gwersi llais os cawn i roi'r gorau i'r piano".

Ei hyfforddwr llais cyntaf oedd Eryl Jones, Llandeilo. Yna, fel Bariton, aeth am wersi at Eirian Jones, Cwmann, ac ymlaen wedyn at Hazel Holt yn Aberystwyth. Pan symudodd hi yn ôl i'w chyefin yn Swydd Efrog fe aeth Aled Edwards at Ken a Christine Reynolds. "Fe gymerodd Ken drosodd fel hyfforddwr, a datgloi y llais".

Yr oedd wedi cynnig ar yr unawd Bariton dan 25 oed yn Eisteddfod Genedlaethol Abertawe

1982, "ond heb wneud dim ohoni". Yn Abergwaun yn 1986, ar ei gyfle olaf dan 25 oed, daeth yn drydydd. Dringodd yr ysgol yn araf ond yn sicr. Ni chafodd lwyfan ym Mro Madog 1987; daeth yn drydydd yng Nghwm Rhymni yn 1990; yn ail ym Mro Delyn 1991 ac yna ennill am y tro cyntaf ar yr unawd Bariton agored yn Aberystwyth yn 1992. Enillodd eto yn Llanelwedd 1993, yng Nghastell Nedd 1994 ac ym Mro Colwyn 1995. "Wedyn daeth y blip! Ac yn Llandeilo o bob man; mor agos i gartref ag y gallai'r eisteddfod fod". Trydydd a gafodd Aled y flwyddyn honno.

Yn Y Bala y daeth ei "foment fawr". Enillodd ar yr unawd Bariton ar y dydd Iau, a chael deuddydd llawn i baratoi at y Rhuban Glas. 'Serch a ddaeth â gwarth i'w ganlyn' allan o Edgar (Puccini) oedd y darn gosod. Am ei hunanddewisiad fe ganodd 'Yr Alarch' (Eric Jones). "Dyna'r tro cyntaf i'r gân honno gael ei pherfformio. 'Roeddwn i wedi holi Eric Jones am yr hawl i'w chanu yn Llandeilo yn 1996. Ond bu'n rhaid aros hyd 1997 am y cyfle. Ac fe gyhoeddwyd y gân wythnos cyn yr eisteddfod fel mae'n digwydd".

Ar ei bumed cynnig, felly, yr enillodd Aled Edwards y Rhuban Glas. "Wedi i chi ennill yn eich adran cwpwl o weithiau mae dau beth yn digwydd. Mae'r cyfryngau yn penderfynu mai chi yw'r ffefryn, ond 'rydych chi'ch hunan yn mynd i gredu nad yw ennill y Rhuban Glas byth yn bosib. Mae'n gwneud lles i beidio ennill Gwobr Goffa David Ellis yn rhy gynnar yn eich hanes. Ond, yn sicr fe deimlais i fwy o bwysau wrth i'r blynyddoedd fynd heibio.

'Doedd neb o'r ardal hon wedi cyrraedd i'r pegwn hwn o'r blaen. I gymdogion gwledig a gwerinol, fel ag i'r teulu, 'roed ennill y Rhuban Glas yn rhywbeth i ryfeddu ato".

Dridiau ar ôl ennill yn Y Bala 'roed Aled ar ei ffordd i America a Chanada gyda Chôr Meibion y Traeth. Bu ar y cyfandir hwnnw droeon wedyn yn canu. "Gan imi ddiflannu i America am dair wythnos ar ôl ennill fe gollais i mâs ar y dathlu yng Nghil-y-cwm, ond 'roedd pawb yno'n gefnogol iawn". Fel rhan o'r wobr fe aeth i ganu hefyd i Barbados, a bu'n unawdydd mewn cyngherddau yn yr Almaen ac yn Ffrainc.

Y mae Aled Edwards hefyd yn bencampwr ar ddangos gwartheg Limousin yn y Sioe Frenhinol. "Rhwng y Sioe a'r Eisteddfod, dyna ddwy wythnos brysur gefn wrth gefn". Y mae'n "dwli ar opera; Verdi yn arbennig". Y mae'n parhau i gael gwersi "ac i wella'r llais. Ac mae'r darnau gosod yn Llanelli yn ddelfrydol i'm llais i. Hwyrach ei bod hi'n rhy gynnar i fynd am y dwbwl". Ond mae'r gamp honno yn amlwg ar ei feddwl – rywdro.

1998

BRO OGWR

IONA STEPHEN WILLIAMS, CAERGYBI (CONTRALTO)

Codwyd y wobr i £200 (rhodd Rachel Ann Morgan, Amsterdam).
Dyma'r flwyddyn y bu cynnydd sylweddol yn holl wobrau'r Eisteddfod
Genedlaethol. [Byddai'r £5 o wobr yn 1943 yn gyfystyr â £134.50
o'r arian presennol]. Amod: (b) Unawd Gymraeg.

GANED Iona Stephen Williams yn Ysbyty Bryn Beryl, Pwllheli, yn 1960. Fe'i magwyd yn Eifionydd, "ar draws y caeau i John Eifion [Rhuban Glas 1999]". 'Roedd canu yn yr awel yn y rhan hon o Gymru, mae'n rhaid, gan i Iona ennill Gwobr Goffa Osborne Roberts yn Eisteddfod Genedlaethol Môn 1983 yn Llangefni; ennill yr unawd Contralto chwe gwaith, a'r unawd oratorio unwaith. Fe'i gwelwyd hefyd yn rhannu llwyfan efo Rebecca Evans mewn cyngerdd yn Eisteddfod Genedlaethol Môn 1999 yn Llanbedr-goch.

"Eisteddfod o dywydd braf oedd Bro Ogwr, er y glaw mawr a gafwyd ar y Llun cyntaf. 'Roeddwn wedi treulio amser mewn rhagbrawf ar y dydd Mercher, gan gystadlu ar y llwyfan, ac ennill, ar yr unawd Contralto ddydd Iau. Felly, dyma ymroi at y Rhuban Glas ar y nos Sadwrn, a hynny am y chweched tro.

'Roedd y Sadwrn hwnnw yn ddifrifol o boeth. Gan fod oriau'n weddill hyd y cystadlu yn y Pafiliwn, euthum am dro i ragbrawf yr Hen Ganiadau yn y Stiwdio Gerdd. Cefais flas ar y canu yno, a mwy fyth o flas ar ginio yn y Pafiliwn Bwyd.

Hir yw pob ymaros. Erbyn y daeth yr amser i fynd i gefn y llwyfan a chyfarch y cystadleuwyr eraill, a phawb yn dymuno lwc dda i'w gilydd, rhyfeddwn nad oeddwn yn teimlo'n rhy nerfus.

Pan ddaeth yr amser i dynnu'r byrra'i docyn, ac i weld ym mha drefn y byddem yn canu, fe syrthiodd fy wep. Fi oedd i ganu olaf. Byddai hon yn noson hir!

O'r diwedd fe ddaeth fy nhro; yr olaf un i gystadlu yn Eisteddfod Genedlaethol Bro Ogwr. Duw a ŵyr o ble daeth yr hyder. Ond o'r nodyn cyntaf mi oeddwn i'n mwynahu'r profiad. Fe ddechreuais trwy

(Llun: Tegwyn Roberts)

ganu 'Carol yr Alarch' (Gareth Glyn). Deuthum o hyd i'r gân yn ffeil fy nhad o ganeuon Côr Lleisiau'r Frogwy. Gofynnais i Gareth Glyn, fy hyfforddwr, i drefnu'r gân fel unawd. Ac fe wnaeth. Syrthiais mewn cariad â'r gân yn syth.

Yr ail gân oedd 'Dos, Iris, Dos i Ffwrdd' allan o Semele (Handel). 'Rydw i wrth fy modd efo'r gân yna, ac fe geisiais ymollwng yn llwyr i'r perfformiad. Cerddais oddi ar y llwyfan yn dipyn o lances, am fod pob dim wedi mynd wrth fy modd.

Terrence Lloyd oedd yn traddodi'r feirniadaeth, a chredais, yn fy mhryder, na ddeuai byth i ben! Ond pan gyhoeddwyd mai fi oedd enillydd y Rhuban Glas yr oedd yn werth y disgwyl. Euthum i'r llwyfan gryn dipyn yn fwy sigledig nac wrth gystadlu. Derbyniais y wobr a chael clamp o sws gan Terrence Lloyd, a phawb yn tynnu coes. Tynnu llun wedyn efo Annette Bryn Parri, oedd wedi cyfeilio imi, a'r ddwy ohonom yn ddagreuol braidd. Yna'n ôl i'r garafan, ac i ffônio'r teulu. 'Roedd y wawr yn torri pan aethom ni i'n gwláu"!

Pan gyrhaeddodd Iona adref i Dy'nlôn, yn ardal Bodwrog ym Môn, 'roedd y cymdogion wedi trefnu parti mawr iddi yn y pentref. Yn ddiweddarach, fe lifodd y gwahoddiadau i ganu mewn cyngherddau. Fe'i hurddwyd i'r Orsedd ar fore Llun Prifwyl 1999. "Ond er cystal oedd yr anrhydedd honno, y pinacl oedd y teithiau canu, a drefnwyd gan yr Eisteddfod Genedlaethol fel rhan bellach o'r wobr, i Awstralia ac i Barbados".

Mae Iona Stephen Williams yn gweithio mewn Canolfan Ddatblygu i Blant ym Mangor.

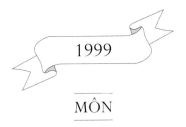

MÔN

JOHN EIFION, PENISA'R WAUN (TENOR)

Rhoddwyd y wobr ariannol ers blynyddoedd ym Mhrifwyl y gogledd gan Ann ac Elwyn Griffiths, Llanwnda. Y tro hwn cofnodir fod y wobr o £200 yn (rhodd Ann Griffiths, Cefn Coch, Llanwnda, er cof am ei phriod, Elwyn Griffiths a'u mab David).

GANED John Eifion Jones ar Chwefror 18, 1965, yr hynaf o bedwar o blant ar fferm Hendre Cennin yn Eifionydd. Yn y blynyddoedd cynnar fe gafodd y pedwar plentyn bob cefnogaeth gan eu rhieni i lwyfannu ac i leisio. Nid yn unig yr oedd tair chwaer John Eifion yn gantorion – Carol Ann, Helen Medi a Glesni – ond yr oedd yna gantores yn gymydog hefyd, sef Iona Stephen Williams [Rhuban Glas 1998].

Byddai teulu Hendre Cennin yn cynnal cyngherddau am gyfnod. Mae'r fam yn aelod o Gôr Gwrtheyrn a fu'n llwyddiannus yn yr Wyl Cerdd Dant a'r Eisteddfod Genedlaethol, ac mae'r tad yn aelod o barti Meibion Dwyfor sydd hefyd wedi blasu llwyddiant y prif Wyliau. Bu John Eifion yn arweinydd Meibion Dwyfor am dros saith mlynedd, 1987-95.

Cynhelid Cylchwyl i gapeli'r fro ar y noson cyn y Groglith. Yno y daeth John Eifion wyneb yn wyneb am y tro cyntaf â Bryn Terfel. Bu'r ddau yn ffrindiau pennaf wedyn yn Ysgol Uwchradd Dyffryn Nantlle. Buont yn cystadlu'n gyson yn erbyn ei gilydd mewn eisteddfodau lleol ac eisteddfodau'r Urdd, ac yna'n uno i ganu deuawdau, gan gynnwys deuawdau cerdd dant. Yn Eisteddfod Genedlaethol yr Urdd 1982 ym Mhwllheli John Eifion oedd yn fuddugol, gan guro Bryn Terfel. Unodd y ddau i ennill yn yr eisteddfod honno ar y ddeuawd. Yr oedd y ddau wedi dod yn fuddugol hefyd ar y ddeuawd cerdd dant yn Eisteddfod Genedlaethol Maldwyn 1981. Yn 1984 enillodd y ddau yn y Brifwyl, yr Urdd a'r Ŵyl Cerdd Dant. Ar ôl cyfnod cymharol fyr yn arwain Côr Meibion y Penrhyn, y mae John Eifion yn aelod o Gôr Meibion Caernarfon ers pedair blynedd.

Ennill wyth o weithiau, dod yn ail bedair gwaith, a chael trydydd un waith yw hanes John Eifion yn yr Eisteddfod Genedlaethol. Enillodd yr unawd Tenor dan 25 oed yn Abergwaun 1986, Bro Madog 1987 ac yn Llanrwst 1989. Enillodd yr unawd Tenor dros 25 oed yng Nghwm Rhymni 1990, Aberystwyth 1992, Y Bala 1997, Bro Ogwr 1998 ac eto ym Môn 1999. Ar ei bumed cynnig, felly, yr enillodd y Rhuban Glas yn Llanbedr-goch.

Ar ddechrau'r noson, er syndod i lawer, fe'i gwelwyd ar y llwyfan gyda Chôr Meibion Caernarfon. Yn hwyrach daeth yn ei ôl i ganu 'O decaf un o hudol bryd' o'r Ffliwt Hudol (Mozart), a'i hunan-ddewisiad oedd 'Llanrwst' (Gareth Glyn). "'Roeddwn i wedi bod yn agos ati o'r blaen, a phe na bai hi wedi dod ym Môn 'roeddwn i am gymryd hoe". Mae'n cofio'r floedd yn y Pafiliwn pan gyhoeddwyd ef yn fuddugol.

"'Rydwi'n ddiolchgar iawn i'm teulu, Marina fy ngwraig, a Lois ac Anest y plant, am ddioddef llawer ac am eu hanogaeth di-ddiwedd. Athrylith ym maes hyfforddi canu yw Brian Hughes. Fe wn i hynny o brofiad blynyddoedd. Bu ei hyfforddiant yn amhrisiadwy".

Pan adawodd Bryn Terfel yr ysgol uwchradd i fynd i Lundain fe aeth John Eifion i'r Coleg Amaethyddol yn Aberystwyth, ac am gyfnod fe wahanodd eu llwybrau. Ond daethant yn ôl at ei gilydd ym Medi 1998 – yn ogystal â Iona Stephen Williams [Rhuban Glas 1998], Iwan Wyn Parry [Rhuban Glas 1991] a Helen Medi – i ganu yng nghyngerdd dathlu canmlwyddiant Ysgol Uwchradd Dyffryn Nantlle.

Wedi treulio rhai blynyddoedd yn gweithio i gwmnïau amaethyddol, fe symudodd John Eifion yn 1993 i weithio i'r maes ariannol fel Ymgynghorydd Ariannol. A rhwng ei alwadau fel unawdydd, ac fel aelod o Gôr Meibion Caernarfon a fu ar y brig am nifer o flynyddoedd, mae byd y gân yn dal i fynd â'i fryd. "Ond fydd dim yn union yr un fath ar ôl ennill y Rhuban Glas. Ac un o'r rhai cyntaf i'm llongyfarch wedi imi ddod oddi ar y llwyfan oedd Bryn Terfel".

2000

LLANELLI A'R CYLCH